潜行者

[英] 杰夫·戴尔／著
王睿 袁松／译

关于电影的终极之旅

Zona

A Book About a Film About a Journey to a Room

浙江文艺出版社
Zhejiang Literature & Art Publishing House

图书在版编目（CIP）数据

潜行者：关于电影的终极之旅 /（英）杰夫·戴尔著；王睿，袁松译. —杭州：浙江文艺出版社，2023.1
ISBN 978-7-5339-6988-2

Ⅰ.①潜… Ⅱ.①杰… ②王… ③袁… Ⅲ.①电影评论—苏联—文集 Ⅳ.①J905.512-53

中国版本图书馆CIP数据核字（2022）第185321号

责任编辑 童潇骁
装帧设计 棱角视觉
责任印制 吴春娟
营销编辑 周 鑫
数字编辑 姜梦冉 诸婧琦

潜行者：关于电影的终极之旅

［英］杰夫·戴尔 著 王睿 袁松 译

出版发行 浙江文艺出版社
地 址 杭州市体育场路347号
邮 编 310006
电 话 0571-85176953（总编办）
0571-85152727（市场部）
制 版 杭州天一图文制作有限公司
印 刷 浙江海虹彩色印务有限公司
开 本 787毫米×1092毫米 1/32
字 数 110千字
印 张 6
插 页 5
版 次 2023年1月第1版
印 次 2023年1月第1次印刷
书 号 ISBN 978-7-5339-6988-2
定 价 45.00元

致丽贝卡

我看着这部电影，直到电影本身成为一种盲区。

——G. C. 瓦德瑞普，

《D. W. 格里菲斯在葛底斯堡》

谈论你所爱的事物，最好的方法是轻轻说起它。

——阿尔贝·加缪，

《无史之城掠影》

一

空荡荡的酒吧，也许根本没开门，有一张桌子，左右不过是张小圆桌，但要高一点，站着或是喝点东西的时候可以斜靠的那种——这里没有椅子。如果地板会说话，它们也许能讲上一两个故事，尽管这些故事其实大同小异，总是一样老套的悲剧收场（几杯酒下肚，就以为我能任人摆布），不光是发生在这里，在全世界的酒吧里都一样。换句话说，我们已经在宇宙真理的王国中。酒保从后面走进来——他穿着白色的侍者短上衣——点了根烟，打开灯，那是两根日光灯管，其中一根还有点毛病，闪个不停。他盯着那根闪烁的灯管。看得出来，他在想“这灯得修修了”，这跟“今天我得修修它”可不一样，不过已经无限接近于“它永远都不会修好”。每天的生活就是充斥着这一类重复的小惊奇，小希望（也许它突然就自己好了），还有小小的放弃（它没变好，永远也不会）。一个高个男人——有客人了！——走进酒吧，把背包搁在桌下，就是那张喝酒的时候可以斜靠的小圆桌。他很高大，但并不年轻了，有点谢顶。很明显，他不是恐怖分子，所以他的背包里也不会藏着炸弹，但这个普通的举动——在酒吧里把背包放在桌下——现在却很难不被注意到，尤其是看过《阿尔及尔之战》（*Battle of Algiers*）①之后不久第一次看《潜行者》（*Stalker*）②（1981年2月8日，星期日）。他向酒保点了什么。酒保的制服是白色的，实际上突出了它的邋遢。也许它也被当成毛巾用，也许是桌布，或者手帕什么的。整个地方看起来都应该很脏，但是太昏暗了，也看不清到底如何，黄色俄文字母的字幕——科幻斯拉夫字体——都无法确切说明情况。

这一类酒保如果之前接触过银行工作，那可真是可怕的错误，酒保是那种事不关己高高挂起的人，跟他无

① 1965年出品的电影，以阿尔及利亚独立斗争为背景，其中有描写袭击者在酒吧引爆藏在背包里的炸弹的剧情。

② 塔可夫斯基的科幻题材电影。

关的事越多越好，哪怕事情迟滞拖沓以致失败。他所关心的只是，他待在这里，穿着邋遢的侍者制服，例行公事，如果没人来，没人想点东西，没什么事要干（坏掉的灯管可以等等再说，其他大多数事情也一样），都对他没什么区别。他还是抽着烟，好不容易端着咖啡壶走过来（他是那种能对任何一件小小的活计倾注仇恨的酒保，好像他是拿着最低工资报酬的赫拉克勒斯[1]），给陌生人倒了杯咖啡，又走了，留下那人和他的咖啡，留下他喝着，等着。毫无疑问：这个陌生来客绝对是在等什么人，或是什么事。

字幕：某种陨石或是外星人在某地造就了一个神秘的事物——“区”。军队被派进去探察，但消失无踪。这里被电网环绕，警察警戒……

这段字幕是在工作室——摩斯电影[2]——的要求下加上的，他们想强调“区”的神奇属性（接下来的故事

① 希腊神话中的大英雄，曾完成十二项英雄伟绩。

② Mosfilm是一家莫斯科电影公司，号称俄罗斯历史最久、规模最大的电影制片厂。

将会发生在那里）。他们也希望这样能保证让故事发生的这个“资产阶级”国家能与苏联区分开。因此在“区”发生的一切神秘事件——根据字幕显示——都是“在我们小小的国家”，这样可以让观众混淆，因为我们都知道，苏联的国土面积相当大，俄罗斯也（仍然）很大。“俄罗斯……”我能听到劳伦斯·奥利弗（Laurence Olivier）[①]在纪录片《二战全史》（*The World at War*）巴巴罗萨[②]一集中说，“无边无际的祖国俄罗斯”。面对1941年德国的进攻，俄罗斯依靠传统的战略，这个曾经让拿破仑落马的战略同样对希特勒奏效：“以空间换时间”。塔可夫斯基对此耿耿于怀。

水滴的声音。我们的视线穿过门，看向室内。在电影剧本里，“Int”这个缩写代表内景，而“Ext”代表外景。这是一个“大内景”，或者“内景的内景”。摄影机慢慢向室内深处移动。好像塔可夫斯基接上安东尼奥

---

① 英国演员。

② 纳粹德国在二战中发起侵略苏联的行动代号。“巴巴罗萨”一词来自神圣罗马帝国腓特烈一世的外号“红胡子”。

尼[1]在《过客》(*The Passenger*)结尾处那个著名的由内及外淡出的镜头作为开头并进一步发展成：由内及内。一样的缓慢，但却没有色彩。正如名字所示，安东尼奥尼早期的《红色沙漠》(*Red Desert*)[2](1964年)如果没有了色彩，将难以想象。那些色彩——比如莫妮卡·维蒂(Monica Vitti)[3]的绿色外套——令电影出彩，但对于时年三十四岁的塔可夫斯基而言，他在1966年完成第二部影片《安德烈·卢布廖夫》(*Andrei Rublev*)[4]接受采访时曾表示，《红色沙漠》是“(安东尼奥尼)继《呐喊》(*The Cry*)之后最烂的作品”。因为那些色彩，因为安东尼奥尼过度迷恋于“维蒂在薄雾中的红发”，因为“色彩扼杀了对真实的感受”。哦，这番话很值得咀嚼玩味。没有了色彩，你还有什么？有《奇遇》

① 米开朗琪罗·安东尼奥尼，意大利新现实主义电影导演，是电影美学领域最有贡献的导演之一。

② 安东尼奥尼的代表作之一，被认为是电影史上第一部真正意义上的彩色影片。

③ 意大利女演员，也是安东尼奥尼的御用女主角，主演了《红色沙漠》等“爱情三部曲”。

④ 塔可夫斯基的第二部长片作品，讲述了俄罗斯画家安德烈·卢布廖夫的一生。

(*L'Avventura*)[1]，我猜（还有莫妮卡·维蒂），而你无比厌倦，只渴望能有点颜色，好消磨时间，或者让你不去考虑时间的滞缓。既然我们在谈论真实以及对真实的感受，我深感荣幸地承认，《奇遇》是我最接近纯粹观影痛苦的一部影片。我是在某年夏天，在巴黎第五区的一家小影院里看的，那里的银幕比一台大电视机大不了多少。（那是一部黑白电影，对白是意大利语，法语字幕，在巴黎，8月，我二十大几的年纪：一个关于寂寞的个案。）我能坚持下去的唯一办法就是告诉自己，**我多一秒也受不了了**。分钟成了当时最小的计时单位。每一秒都持续了一分钟，每一分钟都持续了一小时，每一小时像过了一年。当我终于没入巴黎的曙光时，我的三十岁开始了*。

---

* 在塔可夫斯基记录他在意大利生活的纪录片《雕刻时光》（*Tempo di Viaggio*）中，有一个很棒的片段，他与编剧托尼诺·格拉（Tonino Guerra）[2]研究《乡愁》（*Nostal-*

---

① 安东尼奥尼1960年的作品。

② 意大利著名编剧，与塔可夫斯基合作拍摄《雕刻时光》和《乡愁》。

ghia）[①]的素材。两个人坐在那儿，聊着。电话响了，格拉接起来："哦，米开朗琪罗……"是安东尼奥尼打电话过来聊天！那是20世纪，就像当年龚古尔兄弟的《日记》（*Journals*）写的那样，"门铃响了。是福楼拜"。

把《潜行者》的黑白形容为黑白就像在描述彩虹时给它染色。从技术上说，这种浓缩的深棕色是因为拍摄时用了彩色胶片而冲洗成黑白片。这也是一种黑白的效果，光谱被压缩了，成为能量的来源，就像石油一样，甚至颜色也跟石油一样黑暗，但有一种金色的光泽。除了水滴声，还有一种吱吱嘎嘎的声音和别的令人毛骨悚然的噪声，难以言述。现在我们在房间里，看着一张床。

一张桌子，是一张边桌，很明显比酒吧里的那张要矮得多。火车经过或是什么的震动让桌上的东西咔嗒作响。这震动足以让一杯水滑过半张桌面。记住这一点。在《潜行者》中，没有什么是偶然的，同时，里面又充斥着偶然。桌子旁边，一个女人正在床上睡觉。她身边

① 塔可夫斯基在西方拍摄的第一部故事片。

是一个戴头巾的小女孩，女孩旁边是一个男人，可能是她的父亲。火车的震动声越来越大。整个画面都在摇晃。有人居然能在这样剧烈的震动中保持熟睡，尤其是那火车还大声广播着《马赛曲》。镜头慢慢摇向床上的人们，接着又慢慢摇回来。安东尼奥尼喜欢使用长镜头，而塔可夫斯基则将此进一步发展。“如果是普通的长镜头，人们会觉得无趣，但如果长度继续增加，就会引起你的兴趣，如果再长，就达到了新的层次，会引起注意力的高度集中。”这是塔可夫斯基的审美。起初，我们对时间的期待和塔可夫斯基的时间会有落差，而这种落差在21世纪变得越来越大，我们距离塔可夫斯基的时间越来越远，没有什么能持续——没有人能集中精神关注什么事——超过两秒钟。很快，人们就没法欣赏西奥·安哲罗普洛斯（Theo Angelopoulos）①的《尤利西斯的凝视》（*Ulysses' Gaze*）那样的电影，或者阅读亨利·詹姆斯（Henry James），因为他们都没有耐心从一个冗长的画面或句子过渡到另一个冗长。我或许能读得下亨利·詹姆斯晚期作品的日子已经过去了；由于我没

① 著名编剧、导演，被誉为“希腊电影之父”。《尤利西斯的凝视》是他导演的一部战争片。

有读过晚期的亨利·詹姆斯，所以我也不好说这对我的感知力有什么坏处。但我知道，如果我没有在二十来岁的年纪看过《潜行者》，我对世界的感知将会从根本上减弱。至于《尤利西斯的凝视》，尽管主演选择了难以置信的哈维·凯特尔（Harvey Keitel）[1]，它仍然是欧洲艺术电影棺材上的另一枚钉子[2]（愤世嫉俗者会说，棺材几乎完全是由钉子构成的），向非艺术的一切打开了闸门，因为任何东西在那样的电影里看起来都更好，何况，无论什么东西，都能浓缩成约瑟夫·寇德卡（Josef Koudelka）[3]拍摄的照片——驳船载着一尊列宁像驶过多瑙河，就像法老漂在尼罗河上。

火车的震动声渐弱，空余滴水声，我们也再次回到几分钟前的位置，看着那张床。男人醒了，爬起来。奇怪的是，他睡觉时没有穿裤子，但却穿了毛衣。很长时间以来，我都以为美国男人睡觉时总是穿着内衣。没想

---

① 美国著名演员。

② 原句为“a nail in the coffin”，字面指“棺材上的钉子”，意为致命的一击。

③ 摄影大师。

到这只是电影行业的约定俗成，这样男人们在银幕上一早起床时不至于裸体。睡觉时不穿裤子却穿毛衣让人无法联想到任何习俗。这很奇怪，而且也很不卫生。另一件奇怪的事是，尽管他努力不吵醒妻子，却仍然先穿上裤子和厚靴子，然后脚步沉重地走进厨房，我猜他是觉得，如果她能在火车经过时伴着《马赛曲》依然熟睡——更不用说周围的各种杂音——这点脚步声又有什么要紧。也有可能她只是在装睡。我们看到她的后脑勺。这个男人——尽管我们还不知道他是谁，为了简单一点，我在这里要小小地剧透一下，他不是别人，正是本片得名的潜行者——从门口看向卧室，就像几分钟前镜头的角度一样，那时他还睡在床上，而现在的区别只是他不在床上了。无论从任何标准来看，对一部电影而言，这都是一个节奏缓慢的开篇。苏联电影业最高政府机构——电影艺术委员会[①]的官员们，为此也抱怨过，希望电影能“多一点活力，尤其是在开头”。塔可夫斯基回敬：开头当然要慢一点，无聊一点，这样走错放映厅的人才有时间在剧情展开之前离开。被这番回应的蛮横惊吓到的一位官员解释说，他只是从观众的角度看问

① 即Goskino，苏联电影局的前身。

题……塔可夫斯基才不会在乎观众。他只在意两个人的看法，布列松和伯格曼。捣捣你的烟斗，抽两口！*

---

*塔可夫斯基不断重申他对这两位大师的敬佩与热爱，尤其是布列松，1983年，他曾与其在戛纳分享过电影创作特别奖［两人的作品分别是《乡愁》和《金钱》（*L'Argent*）］，颁奖者是奥逊·威尔斯（Orson Welles）[①]。布列松拒绝发表任何获奖感言，塔可夫斯基耸耸肩，说了一句“非常感谢”；也没有表现出任何好感。也许他们俩对于要分享这一荣誉都有点不悦。

男人向右侧走开了，但摄像机仍留在原地，注视着他曾经看过去的方向——他的妻子正迷迷糊糊地起床。

他走进厨房。打开水龙头，烧上水，刷牙。一盏灯泡亮了。很好：你知道，这地方又亮了一点。塔可夫斯基一向反对对他的电影中的画面进行象征意义的解读，但对于这个灯泡的含意的猜想：这个男人刚刚有了个**好点子**？如果是这样，那恐怕不是什么特别好的点子：灯泡突然闪了一下，然后灭了，就像是把自己吹熄了一

① 美国最伟大的电影人之一，《公民凯恩》的导演。

样。也许我们对于这是哪个国家还不甚明朗，但不管这是哪儿，看来要得到可靠的照明都是个问题。

在这个当口，还有别的特殊问题，就是这个妻子。她要么一直醒着，要么是被火车、《马赛曲》，以及她丈夫的脚步声吵醒的。她先把灯光调到刺眼，整个房间都被照亮了，一秒钟后，又回到再次接近黑暗的状态。显然，他们家需要换根电线。

你知道"最后的话"[1]吗？我们天然地对人们最后的话感到好奇，但是收集齐第一句话——在电影里说的，不是声响，而是实实在在的话语——把这些话输入电脑，用某些处理方法或分析方法来划分结果，一定很有趣。在这部电影里，第一句话是妻子说的："你为什么要拿我的表？"是的，电影几乎刚一开头，她刚刚醒来，从丈夫的角度来看，她就已经开始唠叨了。念叨他，说他是贼。难怪他想出去。当然，我们也从中得到了**宏大**的主题：时间。塔可夫斯基正在对观众说：忘掉

---

① 原文是"famous last words"，最后的话。可指临终遗言，也指一派胡言。

以往有关时间的观念吧。不要再看你的表，如果你把自己交到塔可夫斯基的时间中，那么，《谍影重重3：最后通牒》（*The Bourne Ultimatum*）的混乱比《奇遇》更乏味。“我认为，人们通常去电影院的目的是时间，”塔可夫斯基曾说过，“为了浪费的时光，丢失的时光，或者将获得的时光。”这种观点如果加上几个词，那么最迟钝的影迷也会完全同意。加上的词就是“好”，“人们去电影院的目的是为了度过**好**时光，而不是仅仅坐在那儿等什么事发生”。[一些人不在此范围内。他们根本不去电影院。理查德·普莱斯（Richard Price）的小说《钟人》（*Clockers*）里有一个人物，“钟人”，对他来说，一部电影，**任何**电影，都不过是“在那儿坐上九十分钟”——这可以看作是塔可夫斯基言论的负面背书。]

她扩展了时间的概念——她已经消磨了最好的年华，变老了——正当男人刷牙的时候。她这样做让你又想起安东尼奥尼，因为很明显，她不是莫妮卡·维蒂。坦白地讲，这种唠叨和逝去容颜的组合似乎是让人离开的强迫性的刺激。她把负罪感加诸他，但常用的套话——你只考虑你自己——却反转了，一种陀思妥耶夫斯基式的反转：连你**都不**考虑你自己……*

---

* 塔可夫斯基的妻子拉丽莎想要出演这个部分，而她的导演丈夫也希望把这个角色给她。但他最终被其他剧组成员说服，放弃了这个念头，转而支持爱丽莎·弗兰迪克（Alisa Freindlikh）。反对声最大的格里高利·雷贝格（Georgi Rerberg）是塔可夫斯基之前的电影《镜子》（*Mirror*）以及《潜行者》最初的摄影导演。得罪了拉丽莎可能成为雷贝格后来离开《潜行者》剧组的诱因。

她请求他留下，但是，当她这么做的时候，你能看出来她明知这是徒劳，他要走了——虽然没有说他去哪儿。她说他会在监狱中了此残生。他说哪里都是监狱。绝妙的回答。但却是个不好的迹象，婚姻的智慧。看来他们之间的关系已经从缺乏沟通到了斗嘴争吵、敌视对方的转捩点。这种模式并不令人愉快，但你很容易陷入，又难以脱身：就像一座监狱。有人猜测男人的回答是一种隐喻，但是这部电影常常让我们好奇它所设置的时间与地理背景，以及它与银幕之外的世界的关系。《潜行者》是在20世纪70年代末拍摄的，而不是30年代或者50年代——那时的苏联有一些巨大的劳改营，

在劳改营的俚语里［正如安妮·阿普尔鲍姆（Anne Applebaum）[①]在《古拉格》（*Gulag*）中所说］，“铁丝网以外的世界不叫‘自由’，而是‘波沙雅区’，即‘大监狱区’，比劳改营的‘小区’更大，极端性更弱，但是人更少——当然也更缺乏人性”。《潜行者》不是一部关于古拉格的电影，但是虽没有明确提及，却不断让人联想到古拉格：或是潜行者的劳改营犯人式的发型，或是重叠的词语。我们会发现，在“区”里最冒险的部分就是所谓的“绞肉机”，这是犯人们对“苏联镇压系统”的另一个称呼。*

---

* 不要忘记，古拉格也自有其诱惑力与传说。在巴黎时，我曾经出席过一些聚会，其中的客人就包括曾经“在劳改营待过”的。人们觉得他们了解生存代价的真理——在某个特定时期生在某个特定的地方——在20世纪。他们的遭遇都难以理解同时又稀松平常。两个人都强迫性地开着玩笑，毫无参与严肃政治话题的愿望，这类话题往往在餐桌上引发紧张的气氛，而我也不能加入其中——甚至附和都不行——因为我的法语水平实在

---

① 作家，她的代表作《古拉格》追溯了苏联劳改营的历史。

糟糕，但我记得，有个女人说她和她先生要在床头贴张列宁的海报，这种做法如此滑稽，又带有荒谬的法式风格，也许来自戈达尔[①]的某部电影——在他跟滚石乐队合作《一加一》(*Sympathy for the Devil*)[②]之后——这段经历让米克·贾格尔(Mick Jagger)[③]如此评价这位伟大的电影导演，“他真是个蠢蛋”。

潜行者离开后，他的妻子表现出性方面的冲动（乳头突然突起），塔可夫斯基似乎热衷于此，在被抛弃的高潮中在硬地板上扭动打滚。*

另一方面，他，就像以前的许多男人一样，正走在去酒吧的路上，沿着荒凉泥泞的火车铁轨，穿过后工业的迷雾。**

---

* 在《飞向太空》(*Solaris*)[④]里，哈莉第二次复活，或

---

① 法国著名导演。

② 戈达尔在1968年拍摄的电影，取材自滚石乐队为专辑《乞丐的盛宴》录制歌曲《同情魔鬼》的五天，在其中掺杂了对社会政治问题的讨论。

③ 滚石乐队主唱。

④ 塔可夫斯基1972年拍摄的科幻电影。

者说重生，穿着透明短睡衣，喝着液体氧气。

** 《观察家报》（*Observer*）在影评家菲利普·法兰奇（Philip French）的一篇评论旁边刊登了一张剧照，促使我和朋友罗素第一时间去看了这部电影。当我是个小男孩时，在切尔滕纳姆长大，剧院外面陈列着各色剧照作为招徕观众的道具，当你在骚动中时，看到这些剧照总是令人激动。[现在剧院已经荒废了，尽管我仍然叫它剧院，就像我爸妈用的词，还有早年间的那些标志或是名字——叫高蒙或者皇家——说明这些地方是某种神秘的史前遗迹，当我在其中一个剧院观看埃利希·冯·丹尼肯（Erich Von Däniken）①改编自《众神之车》（*Chariots of the Gods*）的电影时，更加深了这种印象。] 事实证明，你还沉浸在外面的广告带来的体验中，即便根本无法锁定剧照具体拍摄的那个瞬间（那时我们没有意识到，剧照并不是电影动态画面中的一帧，而是一个独立的完全不同的整体），或者至少在"看到"与认出剧照的瞬间延迟，它已经改变成另一幅画面。看来，剧照根本不是

① 瑞士作家，其作品《众神之车》认为外星人曾在远古时代到访地球，并留下众多遗迹。

什么剧照，而更像是一种更具体但转瞬即逝的即视感①。

当男人走在路上时，画外音响起，说着万物“不可救药的无聊”——这让人好奇一部电影**能够**多快变得无聊。哪部电影保持着这方面的纪录？而如果一部电影能够身手矫捷地用沉闷的小毛毯裹住观众，为什么不能把它看作快节奏的呢？（也许我们这个时代的新生事物之一就是快速的无聊——比如速溶咖啡——而不是逐步显现、慢慢令人窒息的感觉。）画外音也引发了困惑：这是谁的话？据推测，这些话就是银幕上这个男人——潜行者——的内心独白，在浓雾中，他双手插兜，低着头沿着铁轨踽踽独行。

突然，他看到了那个说话的人，画外音的来源，是另一个男人，旁边还有一个穿着可爱的短小毛皮披肩的女人。啊！那人仍在继续说着一切都是多么难以忍受的无聊。女人问他关于百慕大三角的事。他说了更多的无聊，并推测也许连“区”也一样无聊，大概只有中年时才会觉得住在那里稍许有趣。他是什么意思？他是说，

① 原文“Déjà vu”，“似曾相识”，未曾经历过的事情或场景仿佛在某时某地经历过的似曾相识之感。

实际上，他正在《安德烈·卢布廖夫》的片场而不是《潜行者》? 因为他是塔可夫斯基最喜爱的演员，安纳托利·索洛尼岑（Anatoli Solonitsyn）——十三年前，他在《安德烈·卢布廖夫》里扮演的卢布廖夫！至于她，仿佛是来自安东尼奥尼电影的逃亡者。不仅仅是因为她穿着毛皮和长裙，他们站在一辆宽篷车旁，她吸啜着一只干净的长脚杯，像是刚刚结束了一场《红色沙漠》里远航的狂欢。他们是在一个码头上（《红色沙漠》也一样）。背景里有一艘船，还有绳索、吊杆。

从进入这个场景的那一刻起，很明显，潜行者就没有在意那一对儿，即使那个男人正说那个女人——他可能想不起来她的名字——也答应去“区”里转一转，不过，坦白地讲，她打扮得可不像是要去远行。她很激动能见到一位真正的潜行者——显然，这种地下小团体有一种特殊的光环——但他对此也只有一个词：走。“区”，是个男人的世界。她坐进车里，撂下一句（索洛尼岑）真是个蠢蛋（也许她是告诉他，潜行者是个蠢蛋），开走了——他的帽子还搁在车顶上。这是整部电影里第一个幽默片段。*

---

* 在访谈中，塔可夫斯基经常给人留下自负的印象，但

在他的电影里偶尔也会有喜剧的桥段。其中一部——《乡愁》——还有一个很不错的笑话。一个男人碰到有人似乎是在泥泞的池塘里溺水，便把他拉出来，救了他。那个被救的男子却说："你在干什么？我住在这里。"我猜这就是"乡愁"的意思。这是塔可夫斯基回顾他在苏联那泥泞小池塘里的时光的笑话吗？在脱离了那里以后，摆脱了令人窒息的电影审查限制重获自由之后，他现在满心怜爱地看着它。而我最喜欢的幽默时刻，是在《雕刻时光》中，塔可夫斯基和托尼诺·格拉去找外景地。他们开车到了莱切，这位伟大的导演下了车，穿着黄色的T恤，还有你能想象到的最短、最贴身的白色小短裤。看起来像是刚从卡斯特罗街游行[①]回来！

潜行者不满那个男子带个女人来，对他喝酒的行为也很不悦。是啊，我在**喝酒**，男人承认，但我没**喝醉**。这里有一半的人在喝酒，另一半是已经喝醉了的，他说。这是不是苏联饮酒习俗的真实反映？是不是塔可夫斯基在怀念故乡泥泞的小池塘？* 他偶尔在日记中谈起喝醉了，或者"（打算）去喝酒"的事儿，但潜行者对于饮酒

① 美国旧金山的卡斯特罗街游行是著名的同性恋大游行。

持悲观的观点。实际上，在电影里，除了“区”之外，他对一切都持悲观的看法。那个男人又喝了一大口；他的另一只手里抓着一个塑料袋，像是个少年藏起他的胶[1]。

---

* 一般认为，雷贝格[2]沉湎酒色是促使他退出剧组的原因；雷贝格对此并不否认，但他也表示，在喝酒的问题上，他只是与导演保持一致。在拍摄现场酗酒是个很普遍的问题，尤其是遇到出状况的时候（有些事不断出状况），除了等待，无事可做。6月的一场暴雪令拍摄工作完全停顿。塔可夫斯基宣布，将在早上七点重新开机。录音师弗拉基米尔·沙伦（Vladimir Sharun）去索洛尼岑的房间下通知，发现这位演员和他的化妆师都不省人事。化妆师立刻要来三公斤的土豆，切片敷在索洛尼岑的脸上，缓解“两周的狂欢”造成的浮肿。（不是两天，是两周。）等沙伦再次到索洛尼岑的房间时，化妆师正躺着，而那位明星的脸上贴满了农夫版的契尔氏[3]。

---

① 青少年通过吸食强力胶获取快感，属于药物滥用的行为。

② 《潜行者》的摄影师，后与塔可夫斯基决裂。

③ 某护肤品品牌。

潜行者沿着台阶走进酒吧，就是之前我们见过的那间酒吧。相对而言，顾客多了起来。看来人人都需要休闲时光。窗户像酒保的上衣一样，都需要好好清洁一番，透过其中只能看到暗淡的户外光景。那个男人跟在潜行者身后，在台阶上滑了一跤，又一个滑稽片段。笑料越来越多，简直就是巴斯特·基顿（Buster Keaton）[①]再世，那遗失的、社会现实主义经典《欢乐时光》（*Happy Hour*）中的巴斯特·基顿。

高个儿男人，上一幕我们见到的那个，还在那里喝着咖啡，而酒保也还在抽烟。这不是我们最后一次回到剧情开始的地方。我们不需要什么标记来说明这是最后的机会。来一杯香浓卡布奇诺的机会，或者纯正的伏特加？潜行者告诉那个高个子，去吧，喝一杯——但是当另一个男人拿出他的酒瓶（他一直带着酒瓶走进酒吧，就像运煤到纽卡斯尔[②]）时，潜行者却让他拿开。好吧，那人说，我们可以喝啤酒，这是一种古老的关于酒

---

① 美国早期喜剧电影导演、演员、编剧。

② 指多此一举。纽卡斯尔是英国城市，以产煤和煤炭航运著称。

精的诡辩术。酒保给他倒了杯啤酒。潜行者看看表，这只手表是他从老婆那里偷来的，他的行为显得焦虑而不耐烦。酒保倒酒的时候，男人一直端着杯子。酒保刚斟完，他就一饮而尽——不赖！——酒保又给他斟满两杯，他还等着再来一杯。“区”的中心是“房间”，在那里——稍后我们就会知道——你最深层的愿望将能够实现，而这一幕给人的印象是，**这个**房间就是他的“房间”，他最深层的愿望不过就是在这儿被一杯接一杯的啤酒好好款待。* 他端着再次斟满的酒和另两个杯子，走到潜行者和高个儿旁边。他想做个自我介绍，但潜行者［扮演者是亚历山大·凯伊达诺夫斯基（Aleksandr Kaidanovsky）］告诉他，他的名字是作家，而那个高个子的名字是教授［扮演者是尼古莱·格陵柯（Nikolai Grinko）］。啊，这里有大盗们的线索：粉先生、白先生以及种种——《落水狗》（*Reservoir Dogs*）[①]式的秘密代号。潜行者难道为了最后的任务被诱惑回到了“区”吗？

---

* 很多男人在面对欲望时都有这种情绪。当我是个小男

① 昆汀·塔伦蒂诺的处女作，黑帮老大召集了六个强盗，为保密，用颜色为他们分别起了代号，如粉先生、白先生。

孩的时候，每年暑假过后的那段时间，我爸下班回家，都满是对他那些工友的厌恶，那些人去了西班牙或者其他不像英格兰这样有严格禁令的地方度假，整天泡在酒吧或者游泳池旁，喝酒。我们假期很少出门，因为我爸最深层的愿望就是省钱，而要实现这一点，避免那些卖得贵得离谱的圣代和小雪糕的诱惑，最好的地方就是不要离开家，这里是金钱流入的地方，虽然很慢，但花得更慢。[我意识到，这不是我第一次以书面形式提及我爸对高价雪糕的恐惧。阿尔贝·加缪（Albert Camus）相信，“人的工作不值一提，但是经过艰难跋涉在艺术的迂回曲折中重新发现两三个伟大又简单的画面令他的心胸第一次打开”。对塔可夫斯基而言，这确凿无疑，尤其是在《镜子》里。而对我来说，其中的图景之一就是雪糕和我爸不情愿的放弃。我不太公平，起码应该说清楚，在伯恩茅斯或者滨海韦斯顿，那些雪糕确实贵得离谱。我爸有个朋友在格洛斯特的和路雪工厂工作，能用便宜的价格搞到雪糕。我曾经问过他，那些雪糕是不是偷出来的。“那是福利。”老爸说着，脸上充满巨大的精神满足。]

每次在电影里看到有人喝酒，我立刻会产生自己也

来一杯的欲望。某些国家——某些国家的电影——令某种酒看起来格外诱人。可以想见，法国电影造就了对红酒的渴望，但是带城堡酒标的白葡萄酒看起来也不错。威士忌在西部片里恰到好处。（“男人大摇大摆地走进酒吧，赶牲口让他口干舌燥。”）啤酒在哪里都适用，而且不仅仅在电影中。在世界上的大多数国家，即使是最糟糕的国家，你也能搞到一杯所谓还能入口的啤酒。说到啤酒，我们当然好奇，潜行者会不会也来一杯。也许他能说服自己？事实证明，只有作家什么都喝。教授坐对一杯咖啡，而潜行者只是满脸焦虑。作家是负责喝酒——也许他应该叫酒鬼——以及大多数台词的那个。当教授问他都写些什么时，他说人应该写作“绝对的虚无”。一位特别的福楼拜。1852年，福楼拜在信中表达了自己想要写“一本关于虚无的书，一本完全不依赖外部事物的书，仅仅依靠内部力量的支持；这本书几乎没有主题，或者如果可以的话，至少主题几乎是隐形的”。依据这个方向，福楼拜相信“艺术的未来”：“再没有任何正统，形式与它的创造者的意愿一样自由。”对比以内容为导向的好莱坞电影，这番话好像是对塔可夫斯基在《镜子》中所作所为的预言（他在拍《潜行者》之前拍了那部片子）：不是关于虚无的电影（甚至可以称作是一部关于一切的电影)，但独特地符合导演的风格——“创造者的意愿”——而非故事叙述的机械需求或者“传统的负担”。福楼拜对此的总结与塔可夫斯基日记中的话一致：“从纯艺术的立场，你可以建立一条公理：没有主题这种东西——风格是看待事物的绝对方式。”

总之，他们正站在酒吧的桌旁，聊着天，喝着酒，尽管实际上只有作家负责大部分的聊天和喝酒——而且是以酒鬼的古老方式，不断重复絮叨。他又提到了百慕大三角，就像刚才在外面跟女人说起的一样。这个什么三角，那个什么三角。他问教授为什么要去“区”，但接着开始喋喋不休他要去那儿的原因，还有他想找什么。灵感，他现在江郎才尽。也许到了“区”，他能重获新生。伙计，我理解他的心情。我也会那么做的。我是说，如果我能写点别的东西，你以为我会花时间总结一部几乎没有情节的电影的情节——不是一个场景接着一个场景，但肯定是一个镜头接一个镜头。我是以自己的方式走进“房间”——跟随着三个人来到“房间”——拯救我自己。*

---

* 我曾经打算把这本小书分成142章——前后章节之间用

双倍的段落间隔——对应电影的142组镜头。对于一部长电影而言，这个镜头数是很少的，一开始还不错，但我很快就找不到镜头之间衔接的地方。这种遗漏或者说是疏忽是看任何电影都可能遇到的——而这本书是关于观影、记忆、错漏以及遗忘的记录，而不是一份分析报告。

就在对话继续的时候，摄影机推移了，越来越近，但动作如此细微以至你根本来不及察觉，直到我们终于与三人一起来到桌旁。在塔可夫斯基的电影里，当我们以为什么东西是静止的时候，往往并非如此；至少，场景的收缩或扩展都非常细微，简直像是电影自己在呼吸。

我们听到火车的声音，能听到那孤寂的汽笛鸣声。所以，这间凄凉的酒吧还是有几个邻居的——“几个”的意思是“一个”，显然附近有个火车站。汽笛声越来越响。你听到了吗？我们的火车？潜行者说着，看了看他的——他妻子的——手表。* 他们打算离开酒吧了。没有人说“干杯”，不过差不多就是这样。摄影机继续跟着潜行者移动，他对鲁格尔，那个阴郁的酒保，说——他体形魁梧，外表平静，是那种能在20世纪20年代的默片中谋得一份演员工作的类型——如果他回不来了，就“拜访”他妻子。这是什么意思？传达慰问的信息？默默地坐在那儿抽烟？看看她能不能洗他的脏外套？说完，潜行者盯着摄影机。作家正要离开酒吧，我们看到他的后脑勺，然后他转过头，也直勾勾盯着摄影机，这暂时符合了反切镜头的惯例，潜行者和作家都盯着对方。但是看起来好像他们正盯着我们看。这直接违背了罗兰·巴特（Roland Barthes）[①]在“直视双眼”一文中提出的原则，但直视镜头——观众——在静态的照片中也是允许的，在电影里“演员直视摄影机是严格禁止的”。巴特自己的原则就是“将这个禁忌作为电影的特殊性……如果银幕上的视线落在我身上，那么整部影片都将失败”。在这个例子里，此举的作用是暗示我们也在他们相互的注视中。我们也要踏上这条旅途。我们是他们之中的一员。

---

* 我们看不清确切的时间。如果能看到的话，这个场景就可以进入克里斯蒂安·马克雷（Christian Marclay）[②]的《钟》（*The Clock*，2010），这是一部以蒙太奇的方式截取了上千部电影中有关时间的瞬间制作而成的视觉艺

---

① 法国文学评论家。

② 瑞士-美国艺术家。

术片。《钟》的长度为二十四小时，与银幕上时间的每一分钟——包括钟表、手表或对话中透露的时间——都严格同步，也与该片放映的当地时间——无论在哪儿——吻合。塔可夫斯基表达过对“蒙太奇电影”的厌恶，但马克雷的片段叙事就好像对他在《雕刻时光》的“时间、节奏与编辑”一章中所持观点的阐释。（实际上，也许潜行者看他妻子的手表的瞬间就出现在《钟》的某个部分中——我只看过全片的十小时——对某个时间作为一种示意动作的填充。作为记录，我确实认出了《乡愁》和《飞向太空》的某些片段。）

他们——我们——走到外面。潜行者手里拿着类似外卖的东西，踩过一个水坑。这不是偶然的。不管其他如何，潜行者对于弄湿双脚都带有麦克阿瑟式的冷漠。他们登上一辆等候的吉普车。空中传来遥远的寂寞的汽笛声。天下着雨，吉普的车头灯在一片阴郁与潮湿中映着惨白。潜行者开车。虽然我们看不到雨落在空中——是毛毛雨，而不是倾盆大雨——我们能看到水坑，雨滴落进水坑，车头灯映照出水坑，而吉普穿过车灯照出的水坑，穿过灌木，穿过泥泞阴郁、依然被薄雾笼罩的小路。吉普真是个完美的选择。其他车都无法像这样配

合。Mini Cooper会让人联想到《偷天换日》（*The Italian Job*）[①]（《乡愁》也许应该叫这个名字），而我们一开始看到的油光水亮的宽篷车会带来阶级与魅惑的气息，而吉普，因为它的不舒适，让人回想起远程沙漠部队，还有所有关于二战的电影。它是最神气活现的车，为雄心满怀的将军（巴顿）和无畏战场的摄影师（卡帕[②]）而设计，与交通规则或者拥塞无关。它是纯净、粗糙与男子汉气概的探险的同义词。这三个人（其中一人将最终证明，他是个探险专家），是穿着大衣的敢死队员，敌后突袭的志愿兵，比《最后的香醇》（*Last of the Summer Wine*）[③]还鼓舞人心。

就在吉普转弯时，他们听到摩托车加速的声音。在发行时，《潜行者》被当作某种科幻片的类型，而这是整部电影中最有科幻风格的片段的开始，尽管塔可夫斯基非常高兴能够摆脱让电影像科幻片的大部分元素，但在《飞向太空》中他没有做到这一点，这部电影仍然被

---

① 拍摄于1969年的英国电影。

② 指战地摄影师罗伯特·卡帕。

③ 英国喜剧，讲述一群老人发挥余热的故事。

归为类型片（一部设定在未来，发生在太空站里的电影，很难避免不被如此归类），也正因如此，这是塔可夫斯基在所有作品中最不喜欢的一部。*

* 史蒂文·索德伯格（Steven Soderbergh）[①]2002年的版本显然有意识地被设定为发生在未来的科幻电影。他声称他的电影并不是重拍塔可夫斯基的《飞向太空》，而是一部对塔可夫斯基电影所改编的斯坦尼斯拉夫·莱姆（Stanislaw Lem）原著小说的重新电影化。这的确有很大的余地；在莱姆看来，塔可夫斯基"拍摄的不是《飞向太空》，而是《罪与罚》（*Crime and Punishment*）"。不过，索德伯格版的第一个镜头（雨滴敲打在窗玻璃上，橄榄绿与米黄棕色），对塔可夫斯基版的回忆（尤其是快到尾声时，将我们从空间站带回到地球，克里斯那米棕色窗口的镜头）就开始侵扰思绪。这部电影比塔可夫斯基的死忠粉丝们肯承认的要好，乔治·克鲁尼（George Clooney）的表现也一如既往地稳定，虽然他看起来也像往常一样，好像在拍一部乔治·克鲁尼的宣传片。在我看来，这部电影最有趣的是从一开始娜塔莎·

① 美国导演，作品包括《飞向太空2002》。

麦克艾霍恩（Natascha McElhone）就很像我妻子。这种印象越来越强，我忍不住轻声对太太说："她看起来跟你很像。""我知道。"妻子轻声回应。随着影片的展开，这种相似在不断加深。随着角色的每一次死亡与再生，娜塔莎·麦克艾霍恩越来越像我妻子，简直就像看着妻子在银幕上，不断被杀，又不断带着更多的爱与信仰复活。尽管我不愿去想那是我妻子在银幕上，但这种幻觉不断加强，以至我从未对一部电影如此投入过。就像作家有时候谈起的完美读者一样，某种程度上，我就是索德伯格的完美观众。我坐在那儿，想着，"老天啊，那是我太太"，而克鲁尼不断被告知，"那不是你太太"。当他想念她时，当他错误地想念她时，她都不断出现。明星和看客——克鲁尼和我！——都深受其扰。这里并不存在什么虚荣心，我没有在想，我娶了娜塔莎·麦克艾霍恩，所以我就是该死的乔治·克鲁尼。但我不是唯一一个认为我妻子像娜塔莎·麦克艾霍恩的。有一次，我们去阿地朗达克参加婚礼，有位宾客悄悄走到我妻子身边说："整个周末我都在猜想，您是不是真的娜塔莎·麦克艾霍恩。"在电影上映后那几年，至少还有两个人这么说过。几天前，我们又看了一遍《飞向太空》，结果发现我妻子已经不再像电影中的娜塔莎·

麦克艾霍恩了。2010年在伦敦时，我和妻子在当代艺术中心一次豪华的筹款会上曾经坐在她旁边，但并没有跟她说话。娜塔莎·麦克艾霍恩和我的妻子都变了，不过是不同的改变——她们变化的方向是一致的（都变老了），但方式却有微妙的区别。没关系，在电影里，娜塔莎·麦克艾霍恩还是那样，因为那是乔治·克鲁尼记忆中她的样子，而她像我的妻子，因为那是我记忆中妻子的样子。只有这部电影保留了两人相似的回忆，比改编自同一本书的两部电影还要相似。

摩托车手是一名守卫，可能是在巡逻。他穿着皮衣，戴着白色头盔，看起来像是《大都会》(*Metropolis*)或者《1984》里的守卫。既然科幻小说中预测的那个特殊的日子——1984，2001——已经不可避免地到来并逝去，褪色成了历史，这一类型电影也多数拥有了古董旧物的品质，成为古装剧中以未来为方向的分支。关于这一段，一个可能的解释是，潜行者和他的伙伴们正试图逃脱历史本身的束缚，从马克斯所预言的大毁灭的未来图景中逃脱——这预言在电影拍完以后十几年就最终宣告破产。

接下来是一场猫捉老鼠式的追车，看起来像我第一次看到《潜行者》时的那段岁月里的一场废弃仓库里的不完整的艺术天使秀，那时候全伦敦到处都是废弃的仓库。说是追车，其实只有一辆车——实际上是一辆吉普——而且潜行者计划要去哪里或者试图去哪里都令人迷惑。换句话说，这场追逐不是为了实现什么特定的目的，而是作为名曰“汽车追逐”的特定汽车礼仪的一部分而存在。当吉普在后工业化的忧郁中穿梭时，大门为那列寂寞鸣笛的货运火车打开了。像酒保鲁格尔一样，开门的那人也抽着烟。他也许是潜行者的内线，一个“区”的信仰者——这段也许因为某种意愿被剪掉了——同意帮助他们进入那里。一旦大门打开，吉普就驶了进去，那人慌忙跑开，也许是去汇报，所以，连同上述的一切，潜行者可能已经犯了双重欺诈的罪行。我们可能真的是在看一部强盗片—— 一部科幻强盗片。

一列货运火车进入视野，拉载着发电机或者其他类似的、国家投资的，也许对环境有害的大件货物。沉重的机车隆隆驶过层层把守的路口。银幕似乎也因为画面上的负重而吱嘎作响，就像那关于早期电影的遥远记忆，1895年卢米埃尔兄弟和他们到站的火车。灯光明亮。守卫——穿着跟我们之前见到的摩托车手一样——检查是否有偷渡者藏在车顶或车底。由于某种程度上带有寓言的性质，《潜行者》总能引起关于暗喻的解读，而且这一类解读并不局限在电影拍摄的时代所发生的事件。当守卫检查火车时，带有某种政治倾向的观众也许会把这列火车视作“欧洲之星”的前身，进入英法海底隧道，经过桑加特难民营[1]，而“区”就是英国和它那庞大的福利体系的完美写照：一块流着奶和蜜的土地，对那些愿意住在彼得伯勒[2]，以挖菜为生每小时赚一英镑的人来说充满机遇的地方。根据这种解读，潜行者是个在寻找收容所的人——除了在这个世界上寻求庇护。克里斯·马克（Chris Marker）在他向塔可夫斯基致敬的《告别塔可夫斯基》（*One Day in the Life of Andrei Arsenevich*）中指出：其中的讽刺之处在于，庇护所与自由都存在于“区”的铁丝网之后。某种程度上，这也是塔可夫斯基的真实感受，他常常为政府管控他和其他艺术家的自由表达而头痛，而在西方，更加微妙的审查与专政——市场的力量——让他完全不可能拿到许可（筹措资金）拍摄《镜子》或《潜行者》。（20世纪80年代我们尤其喜

① 桑加特，法国北部小镇，靠近英吉利海峡，法国红十字会下属难民营所在地。

② 英国城市。

欢发表这样的观点!)

在潜行者等待合适的时机闯入铁丝网之后的自由时，有一段短暂的停顿。作家利用这段宁静开始了多愁善感。他根本不关心什么灵感，也不知道他想要什么，他是否真的想要他要的，或者并不想要他真正想要的，他甚至不关心其他两个人是否在听——就算没听，谁又会指责他们呢?

火车驶离边界，吉普在铁马的掩护之下悄悄跟随。守卫们并不上心，但一旦警报响起，探照灯“啪”地打开，他们会毫不迟疑地开火。这就是此时所有的动作——也许塔可夫斯基关于慢节奏开场的说法是对的，如果有人走错了场，还来得及离开。有流弹和一切。什么东西爆炸了，吉普撞进一堆货箱里。他们停在一个看似巨大仓库的地方，此处与几分钟前他们待过的地方并无不同。空中鸦鸣鸟叫。取代寂寞鸣笛的是雾角繁忙的低吟声。显然，这是一个大型的运输枢纽。潜行者让作家去看看有没有手推车。几分钟之后，我们就会明白，他这样说并不意味着他们正身处世界上最破旧的机场或早已衰败的塞恩斯伯里[1]的岗哨，而是指一种柴油动力

① 英国连锁超市。

的小型运输工具“查道车”，载着几人沿着狭窄的铁路线前行。作家顺从地，也许带一点不情愿地（后来就变成了完全的不情愿）出去找查道车，结果只引来一排扫射——守卫们又开火了。他手忙脚乱地爬进一丛植物掩护。这当口，他可能后悔出发前喝了那么多酒，看来这是一场冒险的旅途，而非他想象中的烂醉狂欢。没有醉酒的教授愿意代替作家去试试，他找到一个更潮湿也更破烂的地方。子弹也朝他扫射过来但并没有打中，落在水坑里，椭圆形的白光——那是窗户的倒影，是外面的世界——摇摇晃晃直至随着摄影机的移动平静下来。教授找到了查道车，朝其他人挥挥手，穿过刚才经过的水面，水越聚越多。现在你明白潜行者走出酒吧时为何毫不在意那水坑了，他们的脚现在都湿了！又是一阵扫射，但没什么效果，就像《血染雪山堡》（*Where Eagles Dare*）[①]里一样。他们爬上查道车，三个人缩成一团，吱吱嘎嘎地驶出了视野。

接下来是电影史上最伟大的一组连续镜头。首先是作家头部的大特写，背景是驶过的模糊景色。摄影机从作家转向教授（焦点是他的羊毛帽和外套的纹理），然

① 1968年拍摄的二战题材电影。

后是潜行者，然后又转回去，他们正带着困惑，集中精神仔细观察周围的环境，只有作家，露出宿醉未醒的样子。这些面孔——表情——是属于随处可见的旅行者的，从寻找新大陆的哥伦布的船员，到从机场搭出租车前往从未踏足的陌生城市的游客——至少对作家和教授而言是这样。他们努力接受着周围的一切，即使不确定眼前所见的与以往所见是否有不同。直白点说，他们也不能完全肯定自己关注的这些事是否值得关注，每当我们从机场奔向市中心的华丽愿景（酒店、咖啡馆）时——途中景色往往无趣甚至荒凉——那种过度活跃的表现就与此相似。摄影机偶尔聚焦在他们身旁掠过的景物——薄雾，砖楼，一堆一堆的管子、箱子，一条河（也许是湖）——但就算我们能看得清楚，也不能肯定我们到底在看什么。郊区、边缘地带、废墟。楼房已不复当初建筑时的用途：腐朽的遗址也许拥有了新的更深层次的意义。这得看情况。什么情况？看我们是否已经进入了“区”。当暗中聚焦在查道车上的摄影机在这不确定的区域水平移动时，这都很难确认。就像罗伯托·卡拉索（Roberto Calasso）评价卡夫卡的《审判》（*The Trial*）与《城堡》（*The Castle*）那样，我们“站在一个隐秘世界的入口，在这个世界隐含着猜测”。这入口很难辨认，而且无处不在。潜行者肯定知道我们现在是否进入了“区”——毕竟他曾经来过多次。他现在什么感觉？他皱着眉头，表情焦虑，很不愉快——整个世界就是一座监狱——从电影开场就没有变过，从他穿着毛衣和内衣跟老婆吵架时就是这样。我们能清晰地看到他理过的头发上在左侧有一撮白色：这是潜行者的标志吗，作为被选中的标志？铁轨持续的催眠般的吱嘎声逐渐让位于电子乐，从机械运转的噪声到梦幻般有节奏的乐声。爱德华·阿特米耶夫（Eduard Artemiev）创作的音乐以带有印度风格的长笛与弦乐（准确地说，是波斯六弦琴）的混响取代了有节奏的——有节奏地失真的——铁轨的叮当声。它听起来很遥远，几乎无法追溯。用一点混响，通过强大的超重低音系统，将有不少Basic Channel[①]或是其他极简科技电子乐的痕迹。

在《电影》一诗中，比利·柯林斯（Billy Collins）[②]说他兴致勃勃要看一部电影，“有人踏上漫长旅途 / 一部充满对危险的允诺的电影”。我也喜欢那样的

① 德国著名的电子乐二人组莫里茨·冯·奥斯瓦尔德与马克·艾涅突斯于1993年在柏林成立的唱片公司。他们将极简音乐、高科技舞曲和回响结合起来使用，影响极大。

② 美国诗人。

电影，无论这旅途是坐船［《现代启示录》（*Apocalypse*），《激流四勇士》（*Deliverance*）］，火车［《战俘列车》（*Von Ryan's Express*）］，还是开车（例子多到随便挑）。在这类电影里，公路片的概念几乎等同于——或者应该等同于——旅途，虽然有些沉闷得犹如从牛津搭巴士到伦敦。《潜行者》是一场字面上的旅途，也是一场电影空间——同时——时间的旅途。

柯林斯不在乎他看的电影里有什么危险，他只需要坐着，看着。这三个中年男人是我们的代表，他们坐在那里看着，一动不动，无穷尽的灰黑色影像闪过他们眼前，进入脑海。随着查道车的当啷声，这一系列镜头是能想象到的最直白的旅途——水平地，平坦地，从右到左，呈一条直线移动——充满了电影中曾允诺的奇迹。奇迹是预告片通常向我们推销的内容。不幸的是，这往往成为地球历史上质量最低劣的奇迹。它意味着爆炸，意味着魔法师梅林借助CGI特效的神秘力量颠覆黑斯廷斯之战[①]，意味着五岁的孩子突然变身成恶魔，意味着横冲直撞的追车与翻车，意味着噪声，还意味着我必须小心计算时间，在广告之后（至少二十分钟）到场，以

① 中世纪英国的重要战役。

避免足足一个半小时的全片使我的注意力降低一半（或者相反，对这一类东西的忍耐力增长一百倍）。它意味着坐在那里摇晃着人到中年的脑袋；意味着对走进电影院小心翼翼。它意味着在街上，在商店里，在银幕上，在电视里，信息越来越丰富，你却不得不关闭自己的耳目。关于电视，我有自己严格的原则，适用于杰瑞米·克拉克森（Jeremy Clarkson）、乔纳森·罗斯（Jonathan Ross）、拉塞尔·布莱德（Russell Brand）、格拉哈姆·诺顿（Graham Norton）[①]和其他一长串我甚至还不知道的名字：我决不让这些人出现在我的房子里。这并不是像潜行者说的那样，整个世界就是一座监狱；仅仅是因为这个世界的屏幕上——包括电视、电影、电脑——出现的太多内容只适合于蠢人。另一个原因是，在我看过《潜行者》之后多年里，我像电影里那三个坐在查道车上的男人一样迫切地需要一个“区”和它的奇迹。“区”是一个不需要妥协，充满了纯粹价值的地方。这是极少数——也许是唯一的——《疯狂汽车秀》（*Top Gear*）[②]的版权还没染指的疆土：一座避难所。对陈词

① 都是英国主持人。

② BBC的一档汽车节目。

滥调的避难所。这是塔可夫斯基的另一个作用：对陈词滥调完全地免疫。在塔可夫斯基的作品里，没有陈词滥调：没有流于俗套的情节、人物、结构，没有流于俗套的音乐来刻画场景的情绪表达（或者更常见的是，为了补偿情绪的缺失）。通常，我们称其为：塔可夫斯基没有落入旁人的窠臼。不过，在他的最后几部电影《乡愁》和《牺牲》（*The Sacrifice*）中，他已经逐渐地依赖塔可夫斯基式的模式。伯格曼说过，塔可夫斯基“开始模仿塔可夫斯基拍电影了”。维姆·文德斯（Wim Wenders）[①]对《乡愁》也有同感，塔可夫斯基“运用着他那标志性的叙事手法和镜头，就好像它们在两个引号之间”。* 这位大师成为自己最虔诚的信徒。

---

* 提到电影中的引用，应该做一项有趣的研究——某种意义上，这本书就是一本关于潜在的有趣研究的目录或大纲——关于电影中出现的其他电影的场景，不管是惊鸿一瞥还是特意观看，无论是在汽车电影院、电视还是普通电影院里［比如《蜂巢精灵》（*Spirit of the Bee-*

① 德国电影导演。

hive）[1]中的《弗兰肯斯坦》（*Frankenstein*）[2]，《最后一场电影》（*The Last Picture Show*）[3]中的《红河》（*Red River*）[4]，《随心所欲》（*Vivre Sa Vie*）[5]中的《圣女贞德蒙难记》（*The Passion of Joan of Arc*）[6]]。实际上，这也许并没有那么有趣；没有单词"元"的出现，不将一切都化为尘埃，一个人是不会有出息的。不过，《潜行者》的这个片段在土耳其导演努里·比格·锡兰（Nuri Bilge Ceylan）执导的《远方》（*Uzak*）（2002年）中起到了引人瞩目的作用。马赫穆，一个居住在伊斯坦布尔的中年摄影师。他粗鲁的表弟尤瑟夫来到这座城市找工作，马赫穆被迫收留了他。他们可能来自同一个乡村，但所处的世界已经大大不同。马赫穆不愿因为这个愚蠢表弟的到来而让自己的审美标准做出妥协。于是，我们看到他们在家里看电视，看的不是《疯狂汽车秀》或者《土耳其的百万富翁》（*Turkey's Got Talent*），而是《潜行

---

① 1973年的西班牙电影。

② 经典恐怖电影。

③ 1971年的美国电影。

④ 美国经典西部片。

⑤ 1962年的法国电影。

⑥ 1928年的法国电影。

者》，就是查道车上那个片段。两个人在一种专注而无聊的懒散中瘫在椅子里。马赫穆吃着坚果，也许是开心果。表弟尤瑟夫打着盹。很难苛责他；这里的单调乏味之深，即便是村里最无聊的夜晚也没法相比。电视里，教授、潜行者和作家坐在查道车上，朝着“区”前行，表情严峻，模糊的背景是一闪而过的地平线。电子乐的节奏在公寓里回荡。尤瑟夫醒了，他很惊讶自己才刚刚睡了几分钟，更惊讶的是，打了一个盹，电视里仍然是那三个家伙，沿着铁路不知道往哪里去。他也许是个农民，但某种程度上，他能凭直觉感受到让·鲍德里亚（Jean Baudrillard）[①]关于电视其实是来自其他星球的广播的见解。显然，这个夜晚是不会有什么改变了。他决定去睡觉。他们互道晚安。等了好一会儿，马赫穆起身，取出一张光盘放进录像机，按下遥控。《潜行者》被两个女孩的色情画面所取代。其他一切都没有变。之前，他一只脚跷在躺椅上，另一只蜷在扶手上。现在两只脚都在躺椅上。现在，唯一的变化就是，三个男人叮当响着向“区”前进的镜头被一个舔着三版女郎巨大乳头的隆胸女人所代替。楼上，尤瑟夫跟家里通了电话。

① 法国哲学家。

过了一会儿，他又下来，马赫穆——他没有手淫，连拉链都没开——刚好有时间切换到广播频道。尤瑟夫注意到，他们之前看的那部难以形容的沉闷电影已经变成了喜剧片——这更合他的胃口——他站在一旁笑起来，于是马赫穆又换了频道，换成一部功夫片——这太合尤瑟夫的胃口了。他的夜晚终于有了改善，但马赫穆显然绕回到最坏的结果：没有塔可夫斯基，也没有色情片，只有他和他的傻表弟看着一部功夫电影。太晚了，他说。我们关电视机吧。

如果要给冷幽默下一个定义，没有比这一段更能启发你的灵感。实际上，这个片段也许是我在电影里看过的最不动声色的幽默，以至只有真正的影迷才能发现其有趣之处，即便如此也无法大笑出来。你只能坐在沙发上，跷着脚，吃着开心果，边看边窃笑。如果你大声笑出来，就说明你理解了这个笑话包含的所有含义，但是大笑未免有做作之嫌；你急于证明自己为什么要笑，以及为什么这么聪明。如果我拍电影，我一定要设计一个场景，让两个人一起看《远方》，也许不是这个片段。这样就可以证明我有多聪明，观众们也有机会被逼出影迷式的窃笑。

《远方》引用了《潜行者》。那么迈克尔·哈内克

（Michael Haneke）[1]的《狼族时代》（*Time of the Wolf*）的最后一幕呢？在一场吞噬一切的不明大灾难中——至少当时看起来是吞噬了一切，这部电影是在科马克·麦卡锡（Cormac Mcarthy）[2]的《路》（*The Road*）之前拍摄的，而《路》之后，再大的灾祸似乎也成了平淡无奇；至少在《狼族时代》里，人们还没有猎食同类——避难所在一个火车站里，人们都希望能登上一列南下的火车。随着情况的恶化，火车带来的希望成了孤注一掷——尽管对于千禧年救世军的信念相应变得强大。电影的叙述戛然而止。其中有一个很长的片段，是在火车上拍摄的镜头，前景是疾驰而过、模糊不清的景物，远景依然清晰。云朵堆积在一片银灰色的天空：风景壮阔。树木、小路，还有空地，更多的树和草地。落叶林。十字路口。奇怪的路标与房屋，但没有人或车辆的痕迹。风景很原始，但没有异常，也没有任何恶兆。没有大灾难的迹象，也许刚刚被清理了。所有关于含义的线索都是空的。不知道这列火车是什么车，将驶向哪里。飞驰而过的风景中没有关于发生过什么的任何提

---

① 奥地利著名导演。

② 美国小说家。

示。树和天空都充满灵气。然后是黑暗。剧终。与哈内克的中立相符合，没法说他暗指了《潜行者》——这是把他尽力避免的具体意象加诸镜头之上。不过正如诗人安东尼·赫克特（Anthony Hecht）所说，没有“哪两行以‘什么什么之后’开头的五格诗，不被警觉的读者说：‘哈！艾略特！荒原。’”在电影里也是一样，没有哪个从火车上视角拍到的水平线的风景，不被同样警觉的观众说：“哈！塔可夫斯基！潜行者。”在两个例子中，仍然如赫克特所说，这种反应是关于艾略特与塔可夫斯基“权威与共鸣的索引”。哈内克显然是一位高度警觉的观众，他即使不这样做也能暗指《潜行者》——同样地，不能不这样做。

我们并不着急让这个片段结束，部分的原因是很难知晓它将持续多久。在这段线性的旅程中，作家一直在打盹，我们不知不觉陷入了非线性的时间，进入了做梦的时间——那里的一切，一切被重视的细节都牢牢倚靠着现实与当下。这不像是迷幻式的修辞——“超越无限”——2001[①]的最后一幕；这一幕一直在有限之中；

① 应指电影《2001太空漫游》。

只是不知道这界限将延伸到何方。在《飞向太空》中，我们明白了无法得知自己将何时死亡，也正因此，我们在任一时刻都是不朽的。我读斯坦尼斯拉夫·莱姆的小说，想看看是否有一条时间线存在于书中，或者是塔可夫斯基在电影中加上的。据我观察——我只是浮光掠影地浏览了原作——书中并没有，但几年以后，我在奥登的诗中读到了相似的描述："野兔早上的快乐是因为它不知道睡醒猎人的想法。"**他们**在想什么，这三个向"区"前行的男人在想什么？教授和作家在想的跟我们一样，那是孩提时在每次旅行时都会问父母的问题：我们到了吗？这里就是"区"吗？是这里吗？这个问题也许只有提问者才能回答。当我们相信我们在"区"中时，我们就到了。模糊的风景飞驰闪过。我们看到的也许是作家梦中残烬的外在表现，这段睡梦中凌乱地充斥着几分钟或者几小时前所见景物在宿醉后的记忆：废弃的建筑，丢弃的金属，人造的一切回归自然。有什么东西值得我们特别注意吗？也许是这所有吧。

这个片段（有人记得是一个连贯镜头，实际上是五个）长得让我们出神。然后是电影中的奇迹之一，关于一个所谓的神奇土地的电影中的几大奇迹之一。这里没有跳跃式或是淡出式剪辑，而是突然地、温柔地——音乐和查道车的声音依然不变——明白无误地，我们就进入了彩色的世界，进入了“区”。* 你可以一遍遍地看这段查道车上的片段，拒绝屈服于催眠式的单调，你也可以从不预测那微妙的变化的一刻将在何处出现。镜头和查道车当啷响着又前行了一会儿，然后停止。镜头拉回来。

---

* 《潜行者》和《绿野仙踪》(*The Wizard of Oz*) 的相似性被广泛注意：多萝西渴望离开堪萨斯州的黑白小镇；一场龙卷风将她带到了充满神奇色彩的奥兹国，她和她的伙伴们——铁皮人、胆小的狮子和稻草人——出发去寻找能帮助他们实现愿望的神奇女巫。原书中有更多的线索，我从没这样看过《绿野仙踪》，也没打算看。我非常后悔自己早年的愚蠢。

我们在这里。我们在“区”里。

这里的一切与潜行者所说的一样可爱——同时也一样普通。鸟鸣嘤嘤，林木飘摇，流水潺潺。薄雾透着淡淡的绿。杂草与植被在微风中摇摆。倾斜的电线杆上，电线一团乱麻。车辆的残骸锈迹斑斑。我们正身处另一个世界，这个世界正感知到空前的专注。这样的景色在塔可夫斯基之前就已经存在，但却从未被以这样的方式审视。塔可夫斯基重新设置了这个世界，让这些风景——看待这个世界的方式——被感知。很多风景都是依赖于特定的艺术家、作家或者艺术活动才被人发现它们的美，让我们这些人看到那里到底有什么［比如浪漫主义之于山峦，约翰·C. 范岱克（John C. Van Dyke）之于美国西部荒漠］。但并非只有永恒的自然世界需要这样的媒介。沃克·埃文斯（Walker Evans）[①]让我们睁开双眼——潜行者很快也将用到这一类教师或向导的措辞——看到20世纪30年代摇摇欲坠的棚屋，废弃的汽车和美国衰退的标志。某种程度上，范岱克已经预计到布列松在《电影艺术摘记》（*Notes on the Ginematographer*）中对自己的提醒："让那些没有你也许就从未被感知的事物被关注到。"后来，布列松又为这一抱负加上了注解："没有艺术存在的新世界允许被想象。"有两个问题：如果没有塔可夫斯基，我们是否会认为这些废弃的汽车，倾斜的电线杆和树木还是一样的美？除了电

① 美国摄影师。

影，是否还能有其他媒介让这些景物被发现？

如果《潜行者》不是我看的第一部塔可夫斯基的电影，我可能会认出这片景色中的很多元素来自《镜子》——倒斜的电线杆，绿色植物（虽然被抑制但却更茂盛），人造与自然的区别在我们的眼前腐蚀。如果我看过《镜子》，我可能会认出这片风景，这些元素，就像塔可夫斯基的领地，我可能也会附和潜行者说的第一句话：我们到了。终于到家了。

同样，我一定是认出了或者至少是熟悉这一类风景在本地的变体——这也许部分地说明了为什么这部电影能给我留下如此深刻的印象。

在我长大的切尔滕纳姆现在只有一座火车站，但是在50年代末60年代初的时候有四座。其中一座叫莱克汉普顿的离我们住的地方步行只要五分钟。当我还在学走路的时候，我爸经常带我去那里看火车进站出站。1962年，这条铁路线和车站一起关闭了，当时我四岁。我对于跟父亲去车站的事完全没有记忆（都是他告诉我，我们经常去那里），但是我深深记得去那个布满荆棘的废弃地方跟朋友玩耍，那时候我八九岁。废车站的玻璃都已经碎了，雨水落进来；好像已经朽烂了很久。（其实车站废弃只有三四年的时间，却好像过了半辈子。）被雨水侵蚀褪色的列车时刻表还在——对流逝过往的纪念。一个空烟盒——是我妈抽的那种，上面是一张大胡子水手的脸——在水坑底慢慢沉入潮湿的坟墓：青蛙卵，泥土色，密密麻麻的小虫。轨道锈蚀了，长满野草、刺人的荨麻和蒲公英。有时候我们会沿着铁轨走一会儿，走过站台的尽头，但从没有到过下一个车站——那里也被废弃了——就在几英里外，查尔顿国王车站。

我们到了，潜行者说。终于到家了。

《潜行者》中“区”的戏份是在两座废弃的水力发电站附近拍摄的——其中一座在1941年苏联红军以空间换时间撤退时炸毁了一部分——在耶加拉河上，距离爱沙尼亚的首都塔林约15英里。这里本不是塔可夫斯基的第一选择。他最初打算在塔吉克斯坦靠近伊斯法拉的天山山脉的一座老矿井拍摄。除了蜿蜒的铁轨，这个最初的“区”的地貌与最终电影中的场景几乎没有共同之处。它更像是死亡谷中的荒原［安东尼奥尼取的这个名字，并用在《扎布里斯基角》（*Zabriskie Point*）最后一幕中]：寸草不生，黄沙，干旱，贫瘠。* 塔可夫斯基对这最初选定地点的一切都深深着迷，但是电影开拍前，一场地震摧毁了这个地方，只能寻找一个替代品。正如雷贝格所言："扔一块石头，落到哪儿就是哪儿。"最初的选址保留了一些影像：可以看出它是如何符合塔可夫斯基的设想，不过这样的话，这部电影将会大大不同，没有了"区"的最终化身的那种潮湿多雨。它完美地契合科幻色彩，但缺乏作为更为温和的"区"的微妙魔力。因此，配上潜行者的那句——"终于到家了"——就会变得相当怪异。**

---

* 1983年，塔可夫斯基又遇到一个类似的地方，就在特鲁莱德电影节前——那一次，他和理查德·韦德马克（Richard Widmark）[①]一起获得终身成就奖。电影节主席汤姆·鲁迪（Tom Luddy）担当起类似潜行者的角色，陪同塔可夫斯基、波兰导演克里日托夫·扎努西（Krzysztof Zanussi）和其他几个人进行了一场横穿犹他州和亚利桑

---

① 美国早期西部片演员。

那州的公路旅行。犹如仙境的风景——尤其是谜一般充满艺术感的纪念碑谷——深深地震撼了塔可夫斯基，但鲁迪对于地质构造的解释显然没被听进去：这样的景色只有神力可造。想到要在电影节上所做的演讲（对电影作为娱乐的观点的抨击，第二天韦德马克又机敏地予以反驳），塔可夫斯基说，只有美国人才会如此粗俗物质地在这样的风景中拍摄西部片；在这种地方，他说，只能拍摄关于神的电影。我想知道，鲁迪打算怎么回应，“但约翰·韦恩（John Wayne）就是神”？

** 也许不是这样。有几年，我常去黑石沙漠参加火人节[①]，在入口处看到“欢迎到家!”的条幅，眼泪就会涌出来，因为这是真的，因为我完全地信任这个在黑石城中的临时自治区。

潜行者伸了伸胳膊释放出舒适的信号，就好像他一直在睡觉，刚从梦中醒来。不只是他：所有的景物都像是从梦中苏醒，擦了擦眼前的薄雾，就好像因为被窥视、被拜访、被索求而受到打扰。我们才刚刚到，却已

① 美国内华达州沙漠一年一度的反传统节日。

经对这里有了感知。“这里多么安静啊。”潜行者说。地球上最安静的地方。尽管明白他的意思，但严格地说，这里其实一点都不安静。有鸟鸣，有风，有流水，这些声音衬托出其他声音的消失，比如持续的噪声、工业、城市、交通、压力。伴随这不平静的平静，还有孤独：“这里一个灵魂都没有。”潜行者说。“那我们呢？”作家问，很合乎逻辑。*

---

* 我想起了在大瑟尔[1]，那一次，我和一个朋友在悬崖边休憩，俯瞰被雾气笼罩的太平洋。也许浓雾封住了下面海洋中的声音。没有风。绝对的安静。天地间只有我们，直到另一家人出现，那个父亲急切地想要描述这里的美景，他大声说：“这才是真正的平静！”

潜行者因为重返“区”而激动不已，他努力讲解着这里与他记忆中早先来时有什么不同。追随者们似乎并没有感受到。也许是因为——又是作家——这里到处都是沼泽的气味。不，那是河，潜行者迅速回应，就像是一个地产经纪人回复潜在买家的疑问。但作家坚持他的

① 加州一段海岸线，风光惊险。

观点：对于他而言，“区”就像是一个垃圾场。他一点都不觉得自己是到家了。相反，在这一点上，当他说“不在家并不能让我们感觉到家了”时，他完全理解了海德格尔。显然，作家的状态不太好。他是这样一种人：一觉醒来身处天堂但却不自知，除非能让他找到什么可以抱怨发牢骚的事。这里本来有花田，潜行者说，但是被豪猪毁了。[这是我们第一次听到豪猪，一个与《最后的莫西干人》（*The Last of the Mohicans*）或者其他类似的事物有着模糊联系的一个名字。] 花朵已凋谢，但气味徘徊数年。*

---

* 这是我们在电影中所听所看反映了电影拍摄过程的场景之一。后面的镜头里，作家不顾潜行者的警告，径直走进“房间”，塔可夫斯基注意到，那里开了一丛蒲公英，破坏了整个画面。总美工设计师拉施特·撒福林（Rashit Safiullin）和他的团队被要求拔掉那些花。这本是一件很简单的工作，只是要让“区”看起来好像从未有人踏足过，所以他们得保证，在除掉蒲公英的过程中不会留下任何人工的痕迹，没有压平的草甸或者足印。那些蒲公英并不算显眼，但即便它们已经被清除，可以开机了，塔可夫斯基还是不高兴：“拉施特，那些花是

不在了，但能感觉到它们的存在。”

豪猪为什么要这样做？潜行者说他不知道，但是他猜，也许是豪猪讨厌这个“区”。他坐下来，趁另外两人慢吞吞前行的时候打量四周，不知道该做什么。作家想知道豪猪的事。他是那个教会潜行者很多事，打开他眼界的人——就像塔可夫斯基打开我们的眼界一样。那时候他也不叫豪猪，而是“教师”，他定期回到“区”，带人来这里。但某件事打断了他，那也许是某种惩罚。

潜行者让教授在一些螺母上缠上肮脏的白色绷带，而他要出去走走。风穿过杂草和植被。摄影机拍摄着穿过杂草和植被的风，拍摄着被风吹过的杂草和植被。被独自留下的教授和作家有点心神不宁，但他们开始利用潜行者不在的机会享受非常有“区”特色的快乐：在背后谈论他。他跟作家想象的样子不同。他被认为应该更像钦加哥或者皮裹腿[①]——都来自《最后的莫西干人》！经典的“区”，这种想象的方式要么反映的是你心中一直所想，要么以某种方式提示你去思考即将要揭示的。我从哪里想到豪猪跟詹姆斯·费尼莫尔·库柏（James

① 都是《最后的莫西干人》中的角色。

Fenimore Cooper）[①]有关？大概是以前看过很多次这部电影，但这种因与果混合不清常常反复。作家期待的是一个探险家，像丹尼尔·戴-刘易斯（Daniel Day-Lewis），充满男性气概，而不是这个眉头紧锁、焦虑的囚犯，一进入"区"就开始兴奋起来。短暂的时间让我们了解了许多。潜行者曾经是囚犯。潜行者是一个称呼，但他为这个称呼付出了巨大的代价。他有一个女儿，"区"的受害者。那豪猪呢？教授也做了功课：豪猪从"区"回去，一夜暴富。那有什么不对？作家想知道。（有时候我想，作家对钱的热爱比基金经理或是银行家们纯粹多了。只有严肃的作家才能真正欣赏"获得报酬"的诱人与不可置信的完美。）一周以后，豪猪上吊了，教授解释。啊。摄影机轻轻地前后移动，没有拍摄其他地方，没有做任何事，也没有什么事发生。空中传来呼啸声，是狂风的那种呼啸（但那里没有狂风），它（这风）是动物因为听到的，因为所说的而受到伤害时的呼吸。*

---

*拉尔斯·冯·特里厄（Lars Von Trier）[②]采用了"区"

---

① 《最后的莫西干人》作者。

② 丹麦导演。

的概念，并在2009年的《反基督者》（*Antichrist*）中把它提升到汉默式恐怖片[1]的高度。而《反基督者》中最有冒犯性的是——比切除阴蒂，在威廉·达福（Willem Dafoe）的腿上钻孔，血从他的阴茎中喷射还要糟糕——它是向塔可夫斯基的致敬。我无法相信。对这种典型的《撒旦诗篇》（*Satanic Verses*）[2]式的冒犯，我无须通过实际观看这部电影来加强我的愤怒。不过我确实看过。这部电影在数不胜数的愚蠢和无意义之中，用它那种怪异的违反常态的方式，给塔可夫斯基写就了一封扭曲的情书。就在开头，达福和夏洛特·甘斯布（Charlotte Gainsbourg）——此时看起来很美，但像女伶一样绝望——做爱时，有一只瓶子倒了，水洒到地板上，就像在《镜子》中，或者不太准确地说，在《潜行者》中一样。当他们向树林出发前往伊甸园时，明显想起《镜子》中深重的绿色。［实际上，树林中的一些CGI场景，精灵的传说，更像是对亚历山大·索科洛夫（Aleksandr Sokurov）[3]的《母与子》（*Mother and Son*）中

① 汉默是英国一家电影公司的标志，其拍摄的恐怖片风格统一，且带有舞台剧的气氛。

② 英国作家萨尔曼·拉什迪的小说。

③ 俄国导演。

那些森林的怀旧，而非塔可夫斯基拍摄的寻常森林。]森林里的小屋，掠过树叶的风，橘色的篝火，关于景物的场面被回忆所追逐。一些片段更有隐喻性：当达福转向摄影机时，好像因为不明的外在刺激或内在觉醒而警觉（纯粹的塔可夫斯基式，内在与外在的双重崩溃），或者之后的场景，我们跟随他，穿上大衣，穿过蕨类植物与落叶。这些都是真正地向塔可夫斯基献礼，一个导演向另一个导演敬佩的注视。《反基督者》不是任何一种塔可夫斯基的杂糅；冯·特里厄领会了塔可夫斯基的特别之处，但也有一些自己的独创。他的所作所为是绝对的令人讨厌——浪费。《反基督者》用所有恐怖片的方式癫狂着，尤其是在现代生活的常规型恐怖旁边看的话。

如果你想支持冯·特里厄，把它当成一部严肃的——与漂亮镜头相反，完全的愚蠢——电影，那你可以说，这是一场进入塔可夫斯基的“区”的镜像中的旅程。在《潜行者》里，“区”是能让你最深层的愿望得以实现的地方，而这是一个能让你最害怕的梦魇被揭示的地方，你的——或者夏洛特的——最深的恐惧，达福描述的恐怖金字塔的顶尖。但是我不想过多赞许《反基督者》；它没有意义，只是一种对电影可能性的精心的泯灭。

呼啸声消失了，阿尔特米耶的音乐声仍继续，被施了魔法的电子乐。“这岛上充满了各种声音，”《暴风雨》（*The Tempest*）[①]中的卡利班说，“悦耳的乐曲，使人听了愉快，不会伤害人。”这最安静地方的声音可不是悦耳那么简单，没人敢肯定它们是否会伤害人。“区”的力量无法否认，但也无法证实。一个惊异的地方，而一切惊异都是虚空，因为目前一切正常。

摄影机扫过草甸和一团金属残骸，随着它的斜角，我们看到不远处——也许有一百码远？——是一栋废弃的房子，一处不寻常的地产，但很难接近（就像我们所看到的），还需要大规模的维修，不过对于将世界的其他地方视作监狱的人而言，这里仍然有巨大的投资价值。

并不是说潜行者有在这里买房的打算，即便从房地产的角度考虑，这是他梦中的小屋。他穿过茂盛的杂草打量着它，坐下来，起初带着祈祷者的姿态，接着干脆躺下。一只蚂蚁爬过他的手指。外部的世界与他头脑中的世界没有区别。一切都可以互换。他翻滚着，脸上焦

① 莎士比亚戏剧。

虑的表情第一次被满足感甚至愉悦感所取代。他回到了充满启示的“区”，虽然抱有巨大的期待，所幸并未让他失望。这里仍然很美。花的香气也许已经消失，但与被迫接受幻想的盖茨比不同，潜行者仍然有信任的能力，仍然沉湎于完美的意象中。也许他没有双手合十，低声吟诵经文中的诗篇，但潜行者这一刻感受到的狂喜就像威廉·詹姆斯（William James）在《宗教经验之种种》（*The Varieties of Religious Experience*）中描写的虔诚的信徒：“将灵魂置于神秘力量的个人体验中，从而感受到存在。”

如果我继续说这个场景是电影史上最伟大的场景之一恐怕没什么好处，不过它的确深深地打动了人心。在本书中，这些词几乎每一页都会出现，因为这部电影的很多部分都适用，但从现在开始，我将尝试更节制地使用这些词语。但并不是完全不用：我们看到潜行者如释重负、分享快乐的这个场景（我曾经多次回到电影中的“区”并且从未失望）如此深刻感人，无法不让我眼含热泪。我也担心我用了太多的眼泪道具，但这些都是事实，我的眼泪——这里，还有火人节——是这些深刻体验的证据。在《凶年纪事》（*Diary of a Bad Year*）中，J. M. 库切（J. M. Coetzee）发现自己在重读《卡拉马佐夫兄弟》(*Brother Karamazov*)的片段时“无法抑制地啜泣”。“这几页我以前已经看过无数遍，但不仅没有习惯于其中蕴含的力量，反而在它们面前越来越脆弱。这是为什么?”这就是我对《潜行者》的感受，所以我想自己会问同样的问题，并试图以此说清电影恒久的秘密与我的感激之情。

但作家和教授并不完全确信。差得远呢。教授解释说，大约二十年前，有一颗陨石坠落在这里。或许不是陨石。不管是什么，都导致这里被废弃了。很快就出现了关于废弃的悖论：任何被废弃的地方都像一块吸铁石。在城市里，无主的房屋是理想的巢穴；空仓库是非法组织的集合地。莱克汉普顿车站成了我和伙伴们探险的乐园。人们来到这里，然后失望，教授继续说。政府用铁丝网包围了“区”以防止人们来。(又是古拉格的镜像：一个被铁丝网包围的地方，不是为了防止人们进入，而是为了防止他们出去。)通常，“区”回顾未来的景象——又一个悖论——正如1946年，瑞士作家马克斯·弗里施(Max Frisch)在观察到战后欧洲的衰败后所描写的：“现状如此，杂草在房屋中蔓延，蒲公英在教堂里开放，可以想象，它将如何继续生长，树林将吞没我们的城市，缓慢地，无情地，无须借助人力就能繁茂，蓟与苔藓的沉默，一块没有历史的土地，只有鸟鸣，春、夏和秋，再没有什么能指望。”

《潜行者》中能够感受到来自未来的震撼。十年之内，教授关于“区”如何形成的总结就成了已经实现的预兆，《潜行者》也因此具有了暗示性：1986年发生在乌克兰切尔诺贝利的灾难的预言。塔可夫斯基不仅是一位梦想家、诗人、神秘主义者——他还是一位预言家（预言了现在已经成为历史的未来）。

切尔诺贝利受损的核反应堆和很多放射性材料就被封存在一个巨大的混凝土“石棺”中。附近的城镇如普里皮亚季也被迫疏散居民，围绕核电站建立起一个方圆30公里的“区”。像潜行者的孩子一样——按教授的解释，是“区”的受害者——父母曾生活在切尔诺贝利附近的大批孩童患有出生缺陷。疏散之后，被封锁的“区”中留下的车辆残骸被作为紧急清除的一部分。工厂连缀着空空的街道和爆裂的混凝土。树木从废弃建筑扭曲的地板里钻出来。叶片都改变了形状。植物攀缘在崩毁的墙壁上。2001年，罗伯特·波利多里（Robert Polidori）在普里皮亚季和切尔诺贝利拍摄的照片［收录在他的摄影集《爆炸区》(*Zones of Exclusion*)中]看起来仍然像是《潜行者》外景地的回顾。* 只是在三十年前，要拍一部这样的电影，可不像波利多里和其他人记录的那么容易。摄影师的审美也许部分受到了《潜行者》的影响，所以这部电影造就了被观察到的现实，并超越了现实。

---

* 马格南图片社的摄影师乔纳斯·本迪克森(Jonas Bendiksen)在《卫星》(*Satellites*)一书中记录了完全不同，更加离奇的某种"区"的存在，尤其是在哈萨克斯坦以及俄罗斯阿尔泰共和国边境的所谓飞船坠落区的照片。有规律性地从太空坠落的残骸在当地形成了一个非官方的繁荣产业——尽管存在一定的风险——收集残骸。本迪克森最著名的——同时也是最漂亮的——一张照片显示，两个村民站在飞船或是卫星的一部分残骸上，背景是田园牧歌式的草地，湛蓝的天空，数千只白色蝴蝶的翅膀犹如雪花般飞舞。

流言开始传播，据说在"区"里，还有另一个地方(在任何魔幻领域，总有拥有更高魔力的密室)，在那里，你的愿望都能得以实现。教授用能想象到的最简洁

的形式，描画出神话与宗教的诞生：在某个地方，有什么事也许发生或没有发生；在某个地方，因为被禁止而增强——甚至创造出——某种力量。这是另一位教授——斯拉沃热·齐泽克（Slavoj Žižek）——的观点，他认为，警戒线是对“区”的定义：“赐予其神秘光环的是限制本身。‘区’是因为难以接近、因为被禁止而定性的。”在齐泽克经典的反向辩证法中，“‘区’并没有被禁止，因为它有相对于我们的日常现实感知而言‘太强烈’的某种特质，它展示了这些特质，因为其假定被禁止。首要的是以正式的姿态从我们的日常现实中排斥某一部分现实，并宣布它是被禁止的‘区’”。

不管它是怎么形成的，一群狂热的信徒围绕着“区”。神秘力量都归因于此。它是否真的有这种魔力？不清楚。但是对这件事或这个地方真实存在的信念让它得以存在——就像独角兽存在于里尔克的《致俄耳甫斯的十四行诗》（*Sonnets to Orpheus*）：这种动物从未存在，却依然被喜爱。而人们的这种喜爱创造了它的空间：

> 他们饲养它不用谷粒，
> 只永远用它存在的可能。
> 这可能给这兽如此大的强力，

致使它有一只角生在它的额顶。*

---

* 切尔诺贝利之后，神话与现实再一次交织。因为没有了人类的打扰，动物在爆炸区繁衍生息。消失了几个世纪的物种回来了：猞猁、野猪、欧洲棕熊、欧洲野牛、鹰隼、海狸、普氏野马（诸如此类）。而已有物种的种群数量大大增加。新一代的树种生根发芽。森林畅通无阻地包围、占据了昔日的城市。随着动植物的兴旺繁衍，乌克兰政府在2007年宣布这一地区为自然保护区，给大爆炸带来了积极的——也是合乎逻辑的——转折。[科学家进行了动植物数量普查，并在《生态学指标》（*Ecological Indicators*）杂志上公布了他们的发现，对增长的观点表示怀疑。他们发现哺乳动物的数量与多样性都出现下降，但也欢迎野生动植物庇护所的观点，并进一步研究辐射的影响。]

这个地方，“区”，是个馈赠，教授继续说着，一边把绷带缠到螺母上。什么馈赠，作家说，他一只手靠在头上，好像在打手机。为什么要给我们？为了让我们高兴，潜行者说着，蹒跚走来，他回来了。现在他情绪很

好，笑着，推过腐朽的电线杆（他走过时，有一段真的倒落下来）。即使是令人毛骨悚然的动物的嗥叫声也无法消减他的幽默。是的，他在享受生命中属于他的时光——甚至没有看他（妻子）的手表，就宣布，是时候了。他推了一把查道车，车子当啷响着，沿着铁轨回到迷雾中，回到黑与白的世界，最终消失在视线，离开了“区”，离开了银幕。这一举动引发了一个明显的问题，是作家提出来的：我们怎么回去？（这时我才发现他们到了铁路的尽头，铁轨被一些残骸截住了。要么是“区”导致铁路中断，要么是“区”在铁路终结的地方开始。总之，“区”是一个你无法穿越的地带。）潜行者没有理会这个问题，不过像作家这样读过不少书的同伴可能看到过问题的答案，是卡夫卡的《箴言》（*The Zürau Aphorisms*）之一：“从某一点开始便不复存在退路。这一点是必须到达的。”令人惊讶的是——他们刚刚到这里——他们已经到达了那一点。

潜行者让教授到最后一根电线杆那里，旁边有废弃的汽车。镜头滑向汽车。植物在微风中轻轻摇摆。我们能听到踩在草甸上的脚步声，看到银幕下方的一丛杂草被压平了，即使没有呈现出走路的摇晃图像，也能推测到这是教授的视角。现在我们能看到那辆车子，里面有两具烧过的尸体蜷缩在锈蚀的枪上。真可怕。恐怖的痕迹。我猜，这是字幕里提过的军队，他们被派到“区”里……来做什么？来镇压，就像苏联的坦克在布拉格和匈牙利那样？但是这里有什么需要镇压？这里没有起义，街道上没有人——甚至连街道都没有。透过窗户，能看到远处是烧毁的坦克，而近处，他们走了过来，潜行者、教授，还有后面的作家。所以刚才我们并不是通过教授的视角来观察。或者至少在我们未察觉的时候，视角转换了。这种情况不断重复。我们假设我们用的是某个参与者的视角，但结果发现他进入了视线，因此应该有另外的观察者。一个潜在的受害者的行动被镜头追踪——镜头成了潜行者——在悬疑片中，这是很常见的惯例，但是从参与者客观的视角到神秘的第三方视角，会让人产生这里还有另一双眼睛的焦虑。这种感觉并不是说这是一个真实人物的视角，是一个追踪潜行者的潜行者，而更像另外的一种意识（是“区”本身?）。也许这就是塔可夫斯基的本意，他说他想让我们“感受到……‘区’就在我们身边”。换句话说，那另一个人（另一双眼）就是我们（我们的眼睛）。“区”就是电影。

潜行者扔了一些缠了绷带的螺母指明道路。三个人在被苔藓覆盖的锈蚀的坦克、装甲车和大炮间前行。这一切都是从被烧毁的有尸体的车窗观察到的。镜头安静的观察暗示了它们的意识？* 在“区”里，死者仍然能保有观察的能力，意识仍然会被抽动的植物所吸引？

---

* 如果是这样，这种感觉类似于精神分裂症患者的描述，正如梅洛-庞蒂（Merleau-Ponty）在《知觉现象学》（*Phenomenology of Perception*）中所说：“我曾经是一个人，有灵魂和肉体，但现在不再是……我听，我看，但什么都无法感知……现在我居于永恒之中……枝杈在树间摇摆，人们来来去去，而于我，时间再无流逝。”

他们一个接一个消失在视线中，先是教授，然后是作家，最后是潜行者自己。我们第一次发现，潜行者是对的：这里真的没有人，没有灵魂，只有那些被长久废弃的东西的墓地，在草丛里、在空气中腐烂，只有这些，还有风，植物在微风中摇摆，看过，看着。

三人的长镜头，周围是树林、植被、叶子，他们朝我们走来，朝目的地走来。他们头一次看起来并不矮小，而只是与周围的环境比较所致。空中有布谷鸟的叫声，也许是林鸽。潜行者又扔了一个螺母。作为识途的一种方法，扔螺母有一点莫名其妙。这意思是说，他们完全受螺母随机落地的摆布，就像赌徒的命运系于轮盘上。但除非潜行者是个彻底的蠢蛋，否则这些螺母总会落在他希望带众人所走的路径的几英尺之内，所以也就没什么随机性了。也许这是潜行者技能的一部分：观察地形，找到其中隐含的标志——像一位老妇人根据茶叶在杯中沉浮的方式占卜未来——决定往哪里走，并扔出螺母作为临时的路标。潜行者说豪猪像是老师，让他眼界大开——也许是看到了这一类地方或地标的神秘含义，或是一些在这里发生的不易察觉的事。什么时候发生的？它们发生在这里、这里，还有这里。当潜行者去独自与“区”神交之时，教授告诉作家，陨石——也许不是陨石——二十年前落到这里，但不知道潜行者是否了解这里发生过什么。对他而言，“区”的故事就好像黄金时代的传说：这些事不是发生在已经结束的过去，而是潜伏在永恒的当下。

除了扔螺母的动作，什么都没发生。除了镜头越来越近，缓慢地、轻微地，几乎察觉不到，只是让我们警惕——即便只是潜意识地——有什么事发生，或者将要发生，或者刚刚发生。“区”是一个提高对万物警惕性的地方或国家。最轻微的行动也可能造成影响。潜行者说，背离螺母指示的路线是危险的。潜行者在这里用了**路线**这个词，与米兰·昆德拉（Milan Kundera）在《不朽》（*Immortality*）中的意义相反。昆德拉认为，路线“本身没有意义；它的意义全部来自其联系的两点”。道路是“给空间的馈赠”，路线是“对空间成功的贬值”。[①]昆德拉用了路线图（实际上是公路的地图）中的**路线**。穿越“区”的路线尤其是对空间的馈赠。无论如何，作家起初就对潜行者通过扔螺母规划路线的方式很担心，现在已经忍无可忍。他也许是个俄国人，但无疑是英式态度的化身：什么勇者的游戏都去死吧！为什么我们不能直接去“房间”？我们几分钟就能到那儿。换句话说，他已经对路线失去了耐心，因为它不是昆德拉

① 昆德拉在《不朽》里曾说明：道路是人们漫步的狭长土地，路线（公路）有别于道路，因为公路不过是将一点与另一点联系起来的普通路线，路线本身没有意义，唯有连接的两点才有意义。而道路是对空间表示的敬意，每一段路本身都具有一种含义。简单地说，路线是带着强烈目的性从一个点奔向另一个点中间的这条线，而道路遍布着分岔路口，是一种生活方式，随时可以停下来。

式的路线。这很危险，潜行者又说。实际上，主要的危险看来正来自潜行者本身。当作家开始百无聊赖地拉扯树枝搞破坏时，潜行者（我们还没忘，就在几分钟前他自己也破坏了一根电线杆）朝他的脑袋扔了一根不轻的金属管以示警告。

在小小的争论之后，作家自然需要来一口喝的。潜行者也非同寻常地想要来一杯。作家递给他酒瓶，希望他也能偷个懒，就像来一场狂欢。然而，乐观的情绪曾经鼓舞了潜行者，但经过孤独的行进，转瞬即逝；他的表情又转换成一贯的沮丧，还有特别的悲痛。潜行者倒空了酒瓶的残酒，这个举动可以被解读为某种仪式：向“区”之神的献祭，喝点酒润润嗓子。

作家无所畏惧，坚持要走在前面，不管喝没喝酒，他都要冒险。“房间”比之前想象的还要近：大概50码远？他自信满满地在前方带路，但当镜头拉近时照到他的后脑勺，他似乎带着巨大的恐惧。这是索洛尼岑表演的艺术：很少有人凭光秃秃的后脑就能表达如此丰富的情绪——我说过让我去，所以我来了！——虚张声势和赤裸裸的恐惧。*

---

* 在《潜行者》里有很多后脑勺的镜头；也许达伦·阿

罗诺夫斯基（Darren Aronofksy）[1]的《摔跤王》（*The Wrestler*，2008）的片段就是从塔可夫斯基那里得到灵感，塑造悬念的，因为我们都想知道在电影荒野中被痛殴多年之后，米基·洛克（Mickey Rourke）残破不堪的脸是什么样的。爱因斯坦说过，一个超级强大的望远镜能够看到观察者的脑后——考虑到时空的整体关系，这也许是可靠的说法。

潜行者已经察觉到起风了，但当作家走在前面，小心翼翼地探路时，我们才感受到这股风。树枝猛烈摇晃。微风突然间变成狂风。我们以前见过这样的风，在《镜子》开头的部分，暴风袭击了同一个演员，在他离开他刚刚认识的女人时阻挡了他的去路。风景突然间也有了生气。作家坚持只需要用物理概念看待景物——这受到经验主义和主观意识的影响——从这里到那里用不了多久。而此时，林间的狂风真实可见，表达着它的态度。突然又集聚起鸟儿拍打翅膀的噪声。一个声音在命令着：停下！不许动！镜头退回来，像狙击手一样注视着那建筑。这是谁的命令？作家像一只斗败了的狗一样

① 美国导演。

慌忙跑回来，想知道是谁要他停下。潜行者？不是。教授？也不是。这是你自己的恐惧，教授告诉他。你太害怕往前走了，所以你制造出一个声音，告诉自己要停下来。这听起来没错，“区”可以根据你的想法或期待做出微妙的改变。你希望它看起来正常一点？这很正常——不是吗？而那时有什么事发生了，让你觉得也许不正常，它随之就变得不同寻常，（不是吗？）或者又变得相当正常。“区”证明了自己，又保留了自己——反之亦然。*

---

* 1978年，当塔可夫斯基正在艰难完成《潜行者》的拍摄时，科勒提尼·戴斯提维亚（Kollektivnye Deystviya）（集体行动①）组织了一小群旅行者去莫斯科郊外某地。这个普通的地方根据期望被巧妙地改造成“走出城市之旅”；树间挂起的横幅更加明确了到访者们看似神奇实则普通的经历：“我想知道为什么我要欺骗自己从没来过这里，而且完全忽视了这里——实际上，这个地方跟其他地方没什么不同，只是感觉更强烈，更陌生。”横幅再次迎风招展——这一次似乎明确指向了古拉格——作为

① 俄罗斯的艺术组合，成立于1976年。

“空区”展览的一部分，这是2011年威尼斯国际艺术双年展俄罗斯展馆中关于“集体行动”作品的回顾展。

有一件事是肯定的，“区”完全矫正了作家对于昆德拉“路线的世界”和“道路的世界——在那里，美不断在改变”之区别的认识；每一步它都告诉我们：“停下！”

潜行者说他也不知道当没人时“区”里发生了什么；但是人们一旦进入，“区”就变成一个陷阱系统。（一个无法回答的问题：当没有人目击，没有人给“区”带来意识时，“区”是什么样子？我想问问，当“区”在没有拜访者时是否依然存在，但是塔可夫斯基的选择告诉我们，答案是：是的。角色们进入了拍摄，进入了一个已经建构好的框架：摄影机和“区”在那里等着我们，看着，等着。）潜行者把重点放在我们想从“区”得到什么。但有一个潜伏的问题没有说出口，“区”要从进入的人，从我们身上得到什么？如果没有人目睹，那奇迹还有何用？

发生的一切都取决于我们，潜行者说。朝圣者——即使是怀疑论者或者彻底的愤世嫉俗者，即使他们不认为自己是朝圣者——与“区”之间的关系是互惠的，在“区”里，就将成为“区”的一部分。也许无法说清某个举动是被人或地方触发的，但无论发生什么，“区”作为主动参与者的感觉越来越清晰。潜行者站在绿色的背景里，很暗，几乎成了黑色——应该叫作无法穿透的黑暗。黑暗令潜行者的面孔和蓝眼睛在说话时更加明亮。因为什么？因为强烈的信念，也有——这使他与激进分子和重生的基督徒区别开来——强烈的绝望。“区”不仅仅是慰藉的源泉，是无情世界的温情，它也是痛苦的根源，是陷阱的系统，不断测试、逗弄、威胁着潜行者。没有人能够对“区”的变化无常免疫。还有一件事也令他与激进分子区分开。塔可夫斯基作为艺术家的力量之一就是他所留下的疑问的空间。在《灰熊人》（*Grizzly Man*）[1]里，沃纳·霍尔佐格（Werner Herzog）盯着蒂莫西·崔德威尔（Timothy Treadwell）拍摄的熊的眼睛，体会到宇宙——或者像他在《梦想的负担》（*Burden of Dreams*）里转喻的“丛林”——的主要特质是压倒一切的冷漠。对于艺术家塔可夫斯基而言，虽然他有东正教信仰，虽然他坚持认为犹他州和亚利桑那州史诗般的美景只可能由神力创造，却仍然有产生疑问的

① 纪录片，取材于野生动物保护主义者蒂莫西·崔德威尔在国家公园及自然保护区拍摄的有关灰熊的素材。

无限空间。不消说，这与霍尔佐格的立场有很大区别。塔可夫斯基后来讲到的豪猪的故事也许是一个“传说”或者神话，而旁观者“应该怀疑……‘区’的存在”。所以，进入“区”，像潜行者一样信任它，不仅仅是冒险，更是接受对人生准则的背叛。因此，他的面容上发酵了各种感情：他信任的一切有归于尘土的危险，他攀缘的岩壁因不堪重负而崩塌在即。

关于那阵风还有一种说法，那风从乌有中来：塔可夫斯基是电影界关于静止的伟大诗人。因而他的视角中往往渗透了俄罗斯各种符号的静止之美，比如安德烈·卢布廖夫的绘画。但是，根据他自己的解释，平静是永恒的对立：“不仅影像存在于时间之中，时间也存在于影像之中，甚至存在于每一个分隔的镜头之中。此时，影像才成为真正的电影。镜头中，没有哪个‘无生命的’物体——桌子、椅子、杯子——是与其他一切相隔离的，仿佛置于流逝的时间之外，从时间缺席的角度呈现它们。”塔可夫斯基的平静被运动的影像、被电影、被这阵风注入了能量，从中脱胎出塔可夫斯基艺术的独特魅力：美感即**力量**。*

---

* 这阵风来自乌有，突然间带着能够席卷俄罗斯草原的

力量出现：从谱系上看，它来自亚历山大·杜辅仁科（Aleksandr Dovzhenko）1930年的默片《大地》（*Earth*）的开放式片段，塔可夫斯基把这部电影看了“一遍又一遍”，但从未解释过，它为何对他触动“如此之深”。

教授总结了潜行者小小的说教：“区”是让好人通过，让坏人覆灭？（当然，显然比这复杂也简单得多。）潜行者不知道。它让那些失去了一切希望的人通过，不幸的人，他说这话时带着不幸的苦恼，完全没有意识到自己也许（很明显）就是其中一员。不幸是否能够超越自己？或者仅仅是通往更多的不幸？可以在潜行者身上看到对此深不可测的暗示：在作家和教授一起身处迷雾与丛林的背景中，他从黑暗走到光明。

在《宗教经验种种》附言的最后一页上，威廉·詹姆斯写道：“人们愿意为了获得救赎的机会而拿一切去赌。”詹姆斯说，在“以放弃为主旨和以希望为主旨的人生”之间，机会至关重要。潜行者与“区”的关系是一对悖论。他人生的主旨是希望，但“区”只允许那些放弃所有希望的人通过。后面我们会发现，潜行者被禁止进入“房间”。禁止依靠信念——希望——进入。

潜行者的话对教授起了作用，他太轻易就放弃自己，他的人生主旨就是放弃。如果他们到达了无路可退的临界点，会惊讶地发现，其中一人早已经到了放弃的临界点。这两者有时候是相同的；最常见的区别就是，只有一个无路可退的临界点，而放弃的临界点却不断出现，埋伏在路程中的每一步。你们走吧，我在这里等，教授说。考虑到有关“区”的各种很厉害的宣传——那个地方能实现你所有休假的愿望！——潜行者已经证明自己不是个非常称职的组织者。也许他很不幸要搞定这两个难以取悦的客户。不管怎样，两个人都已经丧失了信念，只对那些允诺的事感兴趣。（对假期而言，这天气太糟糕了，不过可能比首选地塔吉克斯坦要好得多。）作家兴致勃勃想要前行，尽管他对前景毫不乐观，但教授想坐在这个小小的野餐地，享受热水瓶里的咖啡，等着他们回来。不幸的是这是不可能的。你无法以你去的方式回头。（所以，即便你想放弃，也得继续前行；“区”尤其像有生命一般。）他们唯一的选择就是立刻回头。潜行者会给他们补偿——刨除掉给他带来的麻烦所造成的损失（婚姻紧张、被枪击、弄湿的靴子等等）。教授不情愿地站起来。那就走吧，他说，不得不让希望多保留一会儿。扔出螺母。潜行者探路，其他人跟上。有布谷鸟的叫声。摄影机留在身后，慢慢升高，沉入迷雾，我们看到了“房间”，那栋被毁弃的建筑，这一刻——这一刻它变得要么不可接近，要么不值一提，这都取决于你的观点——比以往任何时候都接近。

二

暂停的感觉不错吧？当然了。任何形式的休憩都受欢迎：一个章节的结束，甚至是双倍的停顿；必要时，只是一个分段。亨利·菲尔丁（Henry Fielding）[①]把这种插曲比作小说长途跋涉中的驿站。即使没有预定的章节结束，即使这是一整个不能打断的长段落［即使你在读托马斯·伯恩哈德（Thomas Bernhard）[②]］你都可以把书放到一边，休息几分钟、几小时，或者几天。

这样的中场休息常常面临困境。是的，你可以伸伸腿，但是没有比到吧台要一杯喝的，结果当你端着一瓶

---

① 18世纪英国小说家。

② 奥地利最具争议的作家，文学怪才。

高胜皇家啤酒（普通场合你决不会点的酒）时，铃声响起催促你第二部分将在三分钟内开场更糟的。你看看朋友，看看没喝完的酒，终于决定，是的，第一部分很不错，但是，坦白说吧，我们也看够了（音乐、演出），应该再多来一点这个（酒）？

至于电影，暂停是一种不可避免的必需。就我个人而言，我不再有毅力（尽管与我这个年纪的多数男性不同，我有时间）像二十来岁时那样看两遍伯格曼或者三遍布列松，所以我很少会面临暂停还是继续看第二部分的问题，无论我花了多少钱买票。而《潜行者》没有中场休息，连去厕所的时间都没有，第一部分突然就结束了，几秒钟的停顿，接着开始了第二部分。但那几秒钟也足够打乱节奏，让人怀疑这里有分镜头的失误，有什么内容——哪怕只是一两个镜头——丢失了。再次开始时，画面看起来有一点暗，好像已经过去了几个小时，长日将尽。我们已经适应了电影的节奏——走路的节奏，三个人艰难跋涉的节奏——突然间，我们好像跳过了一段，时间向前跨越了。这在塔可夫斯基的电影里非常奇怪与少见，我们努力跟上，赶上这班巴士！潜行者带着绷带和螺母，奔跑在突然变黑的森林里，接着他到了某个建筑的外面，喊其他两人过来。

他们正在另一个建筑，或者是这个建筑的另一部分外歇息呢。无论如何，他们是怎么到那里的？银幕上的人和我们这些观众的经历有了奇怪的巧合：好像他们也在暂停小憩。看来他们也不是很情愿继续这在幕间休息时还袭扰观众的第二部分。作家四肢摊开舒服地躺在石头上，教授找到个不错的地方坐着。他们看起来像是刚醒，期待再睡一会儿懒觉。如果潜行者发现了什么，是该把这些厌倦的人集合起来了。有时候我想，这就是向导的真正目的：将观光者们团结在一起的源泉，强迫他们继续。我还记得上一次我对一位导游无能为力时——在犹他州的雪松高地讲解美国土著复杂的石头艺术——我和同伴断断续续地用一点都不“喔”的口气齐声配合着说：“喔！”从潜在客户的观点来看，“区”最大的缺点就是你必须有导游才能去那儿，所以你必须得听他一遍遍讲那些他从干这份工作起就讲了无数遍的故事和段子。但对潜行者而言，这不是工作，这是召唤，这不是段子或笑话（像作家抱怨的那样），这是布道和训诫。

教授看起来真的非常疲倦，他从栖息的地方跳下来，听声音像是跳进一个大水坑。但不是。镜头切换到一个像是巨大灰色月亮的倒影，被石块击碎了——又慢慢聚拢起来，潜行者吟诵着塔可夫斯基的父亲阿尔谢尼伊[①]的诗句。到目前为止的叙事都是线性的，一步步跟随他们，在“区”中穿越。塔可夫斯基“希望整部电影看起来像是一个镜头拍完的”。但是现在，在第二部分，我们好像回复到《镜子》松散的结构——其中就使用了导演父亲的许多诗句。发生了什么？*

---

* 发生了什么。这部电影有一半（花了三分之二的预算）是在爱沙尼亚的塔林拍摄的，跨越了1977年的春夏，到秋天时出现了情况，或者是柯达的实验胶卷有问题，或者是保存的方式有问题。根据录音师弗拉基米尔·沙伦的说法，在一场看片会上，这成了板上钉钉的事实，这场看片会上有塔可夫斯基、他的妻子拉丽莎、雷贝格，以及鲍里斯·斯特鲁加斯基（Boris Strugatsky）和阿尔卡季·斯特鲁加斯基（Arkady Strugatsky）——电影剧本是根据他们的作品《路边野餐》（*Roadside Picnic*）改编的。突然，斯特鲁加斯基兄弟之一转向雷贝格，很自然地问道：“天哪，我怎么什么都看不到？”雷贝格向来不能忍受对他工作的一点点质疑，他冲斯特鲁加斯基说：“你闭嘴，你又不是陀思妥

---

① 俄罗斯著名诗人，安德鲁·塔可夫斯基的父亲。

耶夫斯基!”他怒气冲冲地离开，再也没出现过。但雷贝格坚持说自己并非自愿离开，而是被塔可夫斯基逼走的。每个人都埋怨其他人，但每个人也都同意塔可夫斯基的看法，这是一场“彻底的灾难”，这部电影没救了。有人提议把这个项目一笔勾销，塔可夫斯基可以放弃《潜行者》，着手其他电影。但塔可夫斯基不愿放弃，他努力寻找解决的方法。他的坚持取得了成效：经过多番争论研究，《潜行者》被分成两个部分，花三十万卢布拍完第二部分，尽管——可以理解——多花的这些钱将有一部分用来重拍丢失的镜头。塞翁失马，焉知非福。根据叶甫根尼·辛巴尔（Evgeny Tsymbal）[1]的说法，塔可夫斯基总是“对于自己想要的东西有自己固执坚持的想法”，“但他的想法总是在变”。电影的延期迫使塔可夫斯基想清楚自己到底要什么，也让他有机会协调潜行者的人物性格，把他从一个“恶棍”变成一个信徒（一个信徒，就像导演一样，就算面对所有挫折，关于他的电影也要拍完，“区”也要存在）。也就是在这段时间，塔可夫斯基舍弃了电影中的科幻元素。更确切地说，是塔可夫斯基诱导阿尔卡季·斯特鲁加斯基——已

① 俄罗斯导演。

经被无休止的重写改写搞得筋疲力尽——提议从他的科幻故事里剔除科幻。“是你说的，不是我！”塔可夫斯基说，“我已经想了很久了，就是不敢说，你不应该生气。”［在某种意义上，这说明雷贝格在纪录片《潜行者的另一面》（*The Reverse Side of ‘Stalker’*）夸张的陈述里，还有一丝真理：起初塔可夫斯基选了一本错误的书来改编！］一个全新的《潜行者》开始成形。（“一切都将不同。”塔可夫斯基在他的日记里写道。）脚本被剥得几乎一丝不挂，变成了一则寓言，而潜行者成了使徒，一个神圣的愚者。新来的摄影导演列昂尼德·卡拉什尼科夫（Leonid Kalashnikov）接替了雷贝格，但根据沙伦的描述：“他无法理解塔可夫斯基的想法。卡拉什尼科夫自己离开了剧组，塔可夫斯基感谢他诚实而勇敢的拍摄。”塔可夫斯基自己的说法倒是简洁而无情得多：“卡拉什尼科夫拒绝继续工作，走了。”他在1978年4月写道：“他什么都没胆量说。”卡拉什尼科夫又被亚历山大·肯亚金斯基（Aleksandr Knyazhinsky）接替，他完成了最后的拍摄。现在已经无法得知，这一版本的《潜行者》与被毁坏废弃的老版有多大不同［那个版本被负责剪辑的柳德米拉·菲金诺娃（Lyudmila Feiginova）保存在她的公寓里，后来二者一起葬身火海］。塔可夫斯基的助手玛利亚·楚古诺娃（Maria Chugunova）说它们“看起来几乎一致”。辛巴尔认为，雷贝格的连续镜头“与众不同”，“效果惊奇”。而塔可夫斯基则认为它们“缺乏朴素和内在的魅力”。亚历山大·博伊姆（Aleksandr Boim）支持雷贝格的观点，认为塔可夫斯基用管理上的障碍和技术上的落后作为烟幕掩盖他的狂妄自大。这也许并不奇怪——但并不等于说这不是真的——毕竟博伊姆也被解雇了（“因为醉酒”）。他们都是“肤浅的人，不自重”，塔可夫斯基在日记里写道：“幼稚的堕落。白痴。”沙夫卡特·阿布杜萨拉莫夫（Shavkt Abdusalamov）接过艺术导演一职，但也很快因为“行为愚蠢”被解雇。在最后完成的版本中，塔可夫斯基任命自己为艺术导演。经历了重重压力和矛盾，到了1978年4月，塔可夫斯基又被新的问题困扰，他得了心肌梗死。这让他相信，《潜行者》“被诅咒了”。

面对这么多的指责、内讧、反诉与否定，很难理清究竟发生了什么，不过很显然，《潜行者》的摄制组不是个快乐的团队。正如雷贝格以其特有的愤怒指出：塔可夫斯基最终也许得到了他想要的电影，“但代价是成堆的尸体和数次重拍”。正如许多讽刺一样，这里也有共识；经历了胶片被毁事件之后，塔可夫斯基就认定雷贝格是“一具尸体”。

当那莫名的银灰色光圈摇摆、静止之时，《潜行者》诗一般的画外音继续回荡。他弯下身，穿过墙上的洞——那是一扇废弃的窗户——紧紧抓住墙边，好像立于一千英尺的峭壁之上。他的表情好像吸血鬼，龇着牙，穿过曾经像样的攀岩墙的残垣。力量是可怕的东西，而软弱是伟大的。在《龙争虎斗》（*Enter the Dragon*）[①]中——当年这部电影在我们学校风靡一时——我们得知，那些自负的文明，比如斯巴达、罗马，还有日本武士，都崇拜力量，因为力量让其他价值成为可能，这反驳了窃盗集团[②]的专辑《基础》（*The Foundation*）中的信念。不消说，与塔可夫斯基认为令他“不可战胜”的信念相比，潜行者明显的软弱是无关紧要的。潜行者大概是从19世纪30年代末到40年代俄国所谓“美丽心灵”的记忆中获取力量，那时，一个人在性格和政治上的软弱被认为是源自智慧和道德上的纯洁。这种美丽心灵所制定的选举章程，听起来好像是出

① 李小龙的功夫片，曾掀起20世纪70年代美国功夫热潮。

② 一支音乐制作组合。

自潜行者的训练手册："你的灵魂卓尔不群，神圣的力量无形中指引着你。没有灵魂，我们的科学只是虚无，我们的研究也是徒劳无果。"

潜行者进入一个有回声的通道，与其他人会合。看来他们进展得很顺利，准备继续前行。教授不太高兴。他还没有意识到他们正在继续这趟远征；他以为潜行者只是想带他们游览一处本地的景点——游客们管这叫"顺便游玩"——所以没有带上背包。他得回去拿上背包。"你不能回去。"潜行者说。教授仍然坚持。他想要他的背包。（此时，我非常理解教授想与他的背包重聚的愿望。六年前，我妻子从柏林旅行归来，带回一只弗莱塔格环保包[①]。与其他弗莱塔格包不同，这只包很朴素——几乎是全灰色的—— 一开始我还有点失望。但是随着时间的流逝，我意识到她做出了非常明智的选择，我已经完全爱上了这只背包。但就在十天前，在阿德莱德，一天夜里我多喝了几杯，弄丢了那只背包，不知道是忘在了餐厅里，聚会上，还是出租车上，或是艺术节的花园里。没人交还给我。它就这样不见了——找

① 一种时尚背包，采用回收材料制作，每个背包的花样都独一无二。

不到同样的可以替换。现在的弗莱塔格包在臀部加了条扣带，可以更好地固定。但是那只包才是我想要的，我想找回它。说实话，如果此刻我发现自己正身处“房间”中，那我最深层的愿望就是能与我的弗莱塔格包重逢。有一个传说——或者只是个例行程序——据说在生命终结之时，你将与所有曾经丢失过的东西重聚。但当你面对成千上万的钢笔和雨伞时，这个可爱的想法就成了噩梦，我猜那每一件物品都是隐喻，代表了你曾经无比珍视实际却无甚意义的东西。但是，如果在生命尽头，你丢过的十件或者二十件物品能够再度现身，如果你能看到，年轻时的自己在阿德莱德艺术节喝得微醺，起身从桌旁离开，却留下了低调灰色的弗莱塔格包，沉默着无法喊出：“勿忘我[1]！”——那也是不错的。“原来是这么回事”，在生命尽头一切将消逝之际，你对自己说着，惊讶地摇着头，带着纯粹却深深的遗憾。也许知道了我们是如何把珍视的东西弄丢的，有助于我们以宗教也无法抚慰的方式接受其他损失。）

潜行者问教授，你为什么这么操心你的背包？你就要到“房间”了，在那里，你所有的愿望都能实现。如

① 原文为德文vergissmeinnicht。

果你愿意，你都能淹死在无数背包里。这个想法不错——人们总是关心那些更陌生、更琐碎的事，而实际上，我们被鼓励去追寻的美好生活常常误导我们，以为有了很多背包——抑或是iPad、汽车、阿玛尼西装，诸如此类——将带给我们快乐。（不过，我的弗莱塔格包不一样，我不是相信它能带给我快乐；我是现在意识到，它曾经带给我快乐，或是我快乐的一部分，而现在失去了它，则成了不快乐的源泉。）我仍然很同情潜行者：这些客户已经陷入了抱怨与失望的循环。诸事不顺。尤其是作家；自从向“房间”进发以来，他就没再当着潜行者的面抱怨过，只是吃力地拖着脚步前行。他们还没有到达“房间”，但他们已经意识到，人类最深层的愿望之一就是对于抱怨、呻吟、失望的需求。这也许就是为什么要创造出“神”，人们可以为了那些发生的事情，没有发生的事情，甚至是在人类发展相对较晚的阶段［托马斯·哈代（Thomas Hardy）的化身[①]］，为了压根儿不存在的事情向他们诉苦。教授问，到“房

① 托马斯·哈代认为人的悲剧来自宿命，而非社会原因。此处举哈代为例，是指在人类发展的晚近时期，仍然有像他一样的人，去向神诉苦和抱怨。

间”还有多远？结合他们刚才的争论，这句话可以翻译成：“我究竟还得等多久才能得到那背包？这是个宏大笼统的问题，概括了整部电影的核心。潜行者说，如果直着走，大概还有两百米，不过我们都知道，没有直的路可以走。常用的对于空间和距离的衡量标准——比如米、公里、公顷、英亩——已经失效。在电影里，我们以为镜头是向前推进，结果却是回到了一开始的起点。“塔可夫斯基对于空间架构最重要的唯一手段，”罗伯特·伯德（Robert Bird）写道，“就是摄影机的运动。”

时间也是一样。就像《路边野餐》中的一个角色所说：“在‘区’里没有时间。”潜行者和他的客户似乎只是度过了一天，但当他们开始睡午觉，梦渐渐融入真实的旅行时——与更少用文字表达的，精神的旅行几乎没有区别——时间也模糊了。*

---

* 关于这一点，我第三次看《潜行者》时——那是1982年2月4日，牛津街——放映员拿错了胶片，电影往前跳跃了不止几个镜头，而是二十或者四十分钟。我是唯一注意到这点的人。（是的，那时我就在研究《潜行者》。）估计影院里的其他人之前都没看过这部电影。我冲到售票处，告诉他们发生了什么，停掉了正在放映的

电影。之后，我和女友离开影院去参加下午的舞会（短暂的狂热），两天后，我们又去电影院，发现整部电影还是那样放映。

他们准备继续前行，作家在前，潜行者紧随其后。他们踩着木头颇为惊险地跨过一条看起来不像河，更像是流动的钢水——它被什么物质污染了，却比普通的自然流水更美。* 下一次我们看到作家时，无论他们去向何方，他都一身泥泞，看起来有些困惑。他向右方走远，留下塑料袋在身后。在我们看来，这种乱丢垃圾的行为是不可原谅的。在“区”里充满了垃圾：生锈的物件，文明与战争的碎片，但是它们腐烂生锈的过程却增加了这里的美感，而此刻这个无法在自然界生物降解的塑料袋的确是个眼中钉。难怪摄影机没有停留在此，而是向右转去，跟在作家的身后，掠过瓷砖斑驳的墙壁，朽坏的拱门，看见——且听见——一道棕色的水流奔泻而下。当我们以为将要继续前行的时候，视线又落回到作家，离我们最后看见他的地方只有几英尺。镜头拍摄的区域范围和它实际所经过的距离无法考证。这一地点被潜行者称为“干渠”。真好笑。当然了，到目前为止，想要保持干爽的念头看来也很可笑，他们要蹚过齐

膝深的水流，穿过瀑布。教授失踪了——他回去找他那愚蠢的背包，这意味着他跟死了差不多。其他两人继续向前。难以置信的是，就在这一片湿淋淋的潮气之中，地板上跳跃着未燃尽的火苗，就好像我们正在接近炽热的地心。穿过水流，摄影机停留在半覆青苔的瓷砖地上，那里丢弃着一些手写的笔记本或是账本的纸页，一把烂掉的枪，还有一个注射器。

---

* 片场录音师弗拉基米尔·沙伦回忆说："沿河而上有一家化学工厂，向河里倾倒有毒的废水。"这导致剧组里大批出现过敏反应，他还相信，这最终导致塔可夫斯基，他的妻子拉丽莎，还有索洛尼岑都死于癌症。

第一次看《潜行者》时，我刚刚踏出大学校门，徒劳地猜测着这些物品所代表的含义——它们在符号框架下的象征意义。但其实没有什么含义。它们并不比本身具有更多的意义；它们只是一些东西——枪，几页纸，注射器——散落在地，水流冲刷而过，而它们和冲刷过它们的水流的影像掠过我们眼前。*

---

* 不过也许我的大学时光的确有助于让我从这一侧面

理解塔可夫斯基的艺术。华兹华斯的《序曲》(*The Prelude*)中有一段著名的诗句——1805年和1850年的版本相同——与塔可夫斯基所一遍遍践行的思想极为接近:

> 致一切自然形态,岩石、果实或花朵,
> 甚至步道上覆盖的碎石子,
> 我赋予其精神生活:我见其有感知,
> 或将其与某种感知相系:万物
> 层叠于苏醒的灵魂,
> 我见其呼吸中有精神上的含义。

正如我们所见,节奏缓慢的收放造成了一种“区”在呼吸的印象,而这一片段也很好地诠释了塔可夫斯基是一位浪漫艺术家,电影诗人。不过,将他与华兹华斯相比,尽管用了电影诗人的形容,我仍然只想让诗人成为诗歌的诗人。塔可夫斯基比浪漫既有过之,也有不及。他观察到那些简单的事物,并为之注入有呼吸的魔力,并往往保持它们的原貌。它们是否有精神生活?如果有,也不是艺术家赋予的;而更像是对于树之精魂、风之精魂的反应,那是我们能从景物中期许的唯一的“精神生活”。当人与物有互动时，物被制造或改变，天性——对于塔可夫斯基有恒久吸引力的源泉——于重生之中，它“精神上的含义”才能最大限度地被感知到。

从这个角度看，在华兹华斯诗中的确有另一个时刻更具有早期塔可夫斯基的色彩。那是在《废毁的茅舍》（*The Ruined Cottage*）的草稿中，当时，诗人遇见老友阿米蒂奇，对方讲述了他经过茅舍时的反应，那倒塌的墙壁、荒芜的庭院，以及半掩的枯井，还有无数没有注意到的——“我看向四周／你看不到的东西”——无关紧要的物品：

……那时
每天人们的碰触
打扰了它们的宁静，而它们服务于
人们的需求。当我驻足饮水时
蛛网悬于水边，
潮湿泥泞的石沿
搁着木碗的碎片。
它触动了我的心。

不正是这种宁静的质感赋予塔可夫斯基对于废弃之物的电影考古学以一种特殊的光环?

现在是幸运的间歇。教授没有被“区”吞噬。作家带着发自内心的喜悦发现，教授正伴着他钟爱的背包，嚼着蛋糕，喝着热水瓶里的咖啡，在这里等着他们；与另两人相比，他就像一根骨头一样干燥。他甚至生了一点火。但他是如何跑到前面来的，如何能赶上他们?“你是什么意思?”教授问。他刚刚回到这里找他的背包。真的。他们涉水之后，又回到了原先的地方。T. S. 艾略特（T. S. Eliot）那句被广泛引用的话——关于一切探索的终点都回到起点，但却是第一次了解这起点——已经被证实在有限的空间和时间内是可行的（在“区”里，时间和空间意味着一切）。实际上，它又不是十分准确，因为他们起初并不了解这地方，连潜行者也不知道，他惊讶地看着周围，好像不相信自己的眼睛——尤其是他扔出去的螺母表明，他们又回到了起点。还不只是螺母：作家的塑料袋也在等待着他。突然间，这部电影变成了人们与他们或珍视或丢弃的背袋团聚的故事。(要是我的弗莱塔格包也在这里该多好!）不过，在潜行者的脑海中还有更重要的事，他努力分析着这令人困惑

的局面：无论身在何方，他们都回到了某段时间之前他们待过的某个地方，也是他们最后待的地方。“区”变成了托马斯·曼（Thomas Mann）的魔山，“彼时不断重复成此刻，彼处成为此处”。天哪，这是个陷阱，潜行者意识到。豪猪一定是把螺母放到这里引诱他们入圈套。这太难接受了。他不会采取其他行动，他距离他们一步之遥，说，除非能弄清楚发生了什么。“弄清楚”的意思是，休息一下。按照远足者一贯的标准，这可不是扎营的好地点：连一块干燥的地儿都没有。作家在水中找到一块布满苔藓的高地，教授挤在狭窄的高处，而潜行者歇息的地方好像斯大林格勒一处潮湿的隐蔽所（难怪他在咳嗽）。作家发现教授时的喜悦转瞬即逝，至少很快就变成了对教授此行目的的嘲弄，以及猜测那个令他放心不下的背包里到底有什么。教授来这里是为了测量“区”，测量一个具有不可测量性的地方，对奇迹进行科学实验，并把它纳入科学解释和量化的范畴。作家是这样一种人：他与别人的默认关系就是站在别人的对立面，用错误的方式激怒他们。而此时感觉舒适的教授回之以报复性的嘲笑：作家是个大嘴巴，最适合在公告墙上涂涂写写。现在他们这三人同“区”式[①]的旅行触及了男人间友谊的实质：调侃取笑，以戏谑闻名的英式闲谈——这是以泥为枕如卧河床的卧谈会。他们说得心不在焉，渐入梦乡，有一只黑狗沿着轻裹薄雾的黑暗之河涉水而来。黑狗停下来看着我们，好像无意识地传达着重要的狗狗的信息。我们很快陷入了潮湿的黑白之中，但他们还没睡。作家问潜行者——现在他叫他钦加哥[②]——其他人都想从“区”中得到什么。快乐，他猜测道；考虑到躺的地方，他的脸上表现出出人意料的舒服。作家说他这辈子还从未见过快乐的人。潜行者也许该回应说“彼此彼此”，但他眉头皱得更紧，承认说，他也没见过。一个奇怪的观点，有点难以相信——除非这种“快乐无力症”是俄罗斯或者苏联独有的病症。约翰·厄普代克（John Updike）认为美国是个要让人快乐的阴谋集团。苏联也许就是它的对立面。作家继续问：潜行者就从没想过要进入“房间”吗？遵循着所有电影中毒贩的第一准则——只贩不吸——潜行者说没有。最

① 化用自电影《三人同舟》（*Three Men in a Boat*）之名，电影讲述三个男人泛舟旅行的经历。

② 《最后的莫西干人》中的角色。

初，为了与《路边野餐》的原作保持一致，潜行者被塑造为“像个毒贩或者偷猎者”，但随着电影的进展——尤其是胶片事故之后——他变成了“‘区’的奴隶，信徒和异教徒”。对于他深信不疑的“房间”，没有什么好问的，他的生活都押在这上面。他只是倦了，顾不得那只温顺的黑狗——黑得像一个狗形的轮廓——走过来，蹲坐在他身旁。作家还想喋喋不休。如果他变成天才会怎样？写作来自痛苦和自我怀疑。如果他知道自己变成了天才，那还有什么动机去写作呢？这也许该叫作百忧解[①]陷阱，或者至少是在幸福的百忧解时代——那时，百忧解似乎是普世快乐的良方——经常听到的争论的另一个版本：这将导致创作欲望的萎缩。教授拜托他安静点，他想睡觉，不过，让对方保持清醒正是延长这种单方面对话的动机之一，即使作家自己也已经困得点头如捣蒜。他们就像一对夫妻，以拌嘴的方式相处（就像潜行者跟他妻子一样）。两个人谁都放不下。作家很清楚一件事，人的诞生是为了创作艺术，创作那些绝对真实的影像——像《潜行者》这样的艺术品。当然，这不是什么普世的真理——你可以很容易地辩驳说，人的诞生

---

① 一种治疗精神抑郁的药物。

是为了大口喝酒，往村子里扔汽油弹，或者扩建自己的小屋——但在此环境中，这种说法确实很有诱惑力。你会想到拉斯克洞窟[①]的野牛。凡·艾克（Van Eyck）[②]、拉斐尔、凡·高（Van Gogh）、波洛克[③]……你无法令时间之钟停摆。即使在一个——正如昆德拉阴郁地预言的那样——“艺术正在消亡，因为对艺术的需求、敏感和爱正在消亡”的世界里，艺术的历史依然会嘀嘀嗒嗒地向前，不断地增添新的成员。这可能会成为一个遗憾，但事实是如果“艺术品”意味着具有巨大经济价值的奢侈品（就像潜行者随后哀叹的那样，人人都考虑自己的一举一动价值几何），艺术也包括像崔西·艾敏（Tracy Emin）[④]和杰夫·昆斯（Jeff Koons）[⑤]这样的作品的历史，削弱了作家呼吁的声音。对话漫无目的，血糖水平直线下降，银幕上的人困得眼睛都快睁不开了，我们这些观众开始希望能发生点什么刺激刺激他们，让我们能继续看下去。这是电影中缺乏信念与动力的一个片段，

① 位于法国南部，以旧石器时代的岩画闻名。

② 15世纪尼德兰画家。

③ 美国抽象表现主义画家。

④ 英国当代艺术家。

⑤ 美国当代波普艺术家。

好像塔可夫斯基也在考虑下一步要去哪儿，干什么。这不必然是坏事，它反而加深了这部电影的印象：某种程度上，它是关于它自己的，是它描写的这段旅程的印象。

无论如何，这段厌倦的小插曲被接下来的事打断了："区"像泥浆一般扩张，干燥但涟漪痕痕——也许是流沙。* 不管那是什么，这种流沙式的干泥或者泥浆式的涟漪都像使用LSD[①]的早期阶段，外面的世界好像具有了身体内在的节奏、呼吸、脉搏。（这个片段显然来自由雷贝格拍摄的被废弃的那一版，保留在公映版本中。）我最初几次看《潜行者》的时候，正好处在常常使用LSD和迷幻蘑菇[②]的人生阶段。**

---

* 像所有的孩子一样，我喜欢流沙。有关沙漠，尤其是二战时北非沙漠的电影里，我就想看流沙吞噬吉普车和人。这倒不是因为我乐于见到死亡，而是我实在难以想象有这样的事物真实存在（我生长的格拉斯特当然没有流沙，据我所知，整个英格兰都没有），太难以置信。

---

① 即麦角二乙酰胺，一种强烈的致幻剂。

② 一种致幻药。

我爱它，换句话说，因为它是电影或电视里才有的现象。流沙就是电影。

** 那时不只是LSD；我还深深地沉迷于电影，毫无疑问，关于《潜行者》的观点……不，让我再解释一下。《潜行者》之所以能在我心目中占有特殊的一席之地，与我观看它的那个特别的时期有密切关系。我猜很少有人能在三十岁之后看到他们一生中最伟大的——他们认为最伟大的——电影。四十岁以后就更不可能了。五十岁以后，想都别想。在你孩童时或少年时看的电影——《血染雪山堡》《偷天换日》——在你的情感中占有特殊的地位，以致你无法客观地看待它们（你也不会打算这么做）。要评价它们的优缺点，像一个公正的成年人一样看待它们，就像是给自己的童年一个定论：这是不可能的，因为你考量的恰是自己人生的一部分。渐渐地，到了二十岁左右，你开始中立地看待一些作品。起初，对于那些所谓的大片，这样做很难：它们各有不同，又常常过于无聊。我大部分严肃电影都是在牛津读大学时在“倒数第二”电影院和凤凰电影院看的，那时每天都有晚场放映。看《潜行者》时，我已经打算好即便看不下去也要坚持看完。我对电影语言和历史的了解足够——勉强足够——我理解塔可夫斯基对电影语言的丰富和革新。这种经验并不局限于"电影"。我对奇迹的认知也微妙地被丰富和革新了。而同时，这种认知又被永久地局限住，就像阅读托尔斯泰丰富——最终也局限了一个人将来在小说领域扩展、获得启发、见识奇迹的认知。当然，在塔可夫斯基之后你仍可欣赏塔伦蒂诺，看看他有什么新意；你也能看哈莫尼·科林（Harmony Korine）[①]在《奇异小子》（*Gummo*）里，安德里亚·阿诺德（Andrea Arnold）[②]在《鱼缸》（*Fish Tank*）里有什么创新。当然，当然。但是到我三十岁的时候，距离第一次看《潜行者》已经过去了八年，电影丰富感性认识的潜力——或者至少是我察觉到这一种扩展的能力——已经大大降低，甚至不值一提。对于比我年纪大一点的人而言，这种扩展是戈达尔完成的；对戈达尔那一代人则是威尔斯[③]和（现在看来很难相信）塞缪尔·福勒（Samuel Fuller）[④]……而对于比我年轻的人，可能就是塔伦蒂诺或是愚蠢的科恩兄弟。对他们来说，塔可夫斯

① 美国独立电影导演。

② 英国独立导演。

③ 美国导演。

④ 被誉为美国黑色电影和独立电影教父。

基可能有点过时了，就像戈达尔之于我一样。

关于这一观点还需要再解释一下。那是我开始接触严肃电影的时期——那是70年代中期，我十几二十岁的时候——恰逢所谓主流独立电影兴起，一些美国导演受到欧洲导演的影响，开始争取自由，实现其艺术野心。我看了刚刚公映的《出租汽车司机》(*Taxi Driver*)，还有《现代启示录》(*Apocalypse Now*)［还有《大白鲨》(*Jaws*)和《星球大战》(*Star Wars*)，再加上《天堂之门》(*Heaven's Gate*)[1]这个财务上的噩梦，预示着这一时期的终结］。

看《潜行者》是以后的事，但它公映不到一个月我就看了。那时，塔可夫斯基正处在他的艺术巅峰。所以，我看的是"实况"。这也意味着，我与如今2012年第一次看这部电影的二十二岁青年的角度有所不同。我们眼中的《潜行者》也是不同的。当然，这种区别并不像二十年前走红的流行乐队与今时今日对比那么明显。艺术之作依旧，但年华渐逝——渐变。如今的它声望渐隆，不仅是本片的丰碑，还有荣誉如云而至。同时，伴随它的觉醒，一切都似醒来，这其中既有受其影响的电

① 该片投资巨大，但票房遭遇了滑铁卢，成为电影公司的灾难。

影［这就是为何《公民凯恩》（*Citizen Kane*）能兼具青春永恒与惊人旧貌；实际上，"一切"都是在它之后才出现的］，也有默默对其蔑视的影片［沉闷的《两杆大烟枪》（*Two Smoking Barrels*）］。这个事实是不可改变的。当我第一次看《潜行者》的时候，它是刚上映的新片。我也看过《低俗小说》（*Pulp Fiction*）的"实况"，它一上映就看了，但是与看《潜行者》完全不同——那时是我活力充沛的顶点，还很容易受到电影的影响。某种意义上讲，即使你紧跟最新的出版物（新书、唱片、电影），即使你眼界不断拓展，即使你努力追上那些新玩意儿，那些新鲜东西也不过如此，它们几乎没有希望成为你的"终极一言"，因为你早就在若干年前就已经听过——或看过或读过——真正触动你的"终极一言"。

这个流沙的镜头清晰地说明，我们面对的是一场旅程，而"区"是一个致幻的地方——正如尖刻的导师蒂莫西·利里（Timothy Leary）[①]所说的那样——你所经历的取决于你脑海中所想。一个人的精神状态与他的致幻

① 美国心理学家、作家，以对迷幻药的研究而出名，对嬉皮士运动产生了巨大影响。

体验紧密相连。我和朋友拉塞尔曾经激烈讨论过潜行者和他的客户们是否真正离开过那个酒吧，或者一切都只是来自西伯利亚的迷幻蘑菇在大脑中的作用。似乎塔可夫斯基对这一类反馈并不反感，甚至乐见“在结局时观众怀疑自己是否真的看了个故事”。大地荡起涟漪，狂风卷起沙尘暴，接着似乎卷起漫天干花瓣，又似是真正的雪片。(这一切真的发生了吗?“区”真的下雪了吗?)小岛上的草地并未起涟漪。背景中的树木也没有摇动：只有像泥沼一样的土地在流动，然后，静止。塔可夫斯基是怎么做到的？他是怎么实现这样的效果？或者，这根本不是什么特效？只是刚好碰见了流沙地带，而且恰好开始下雪，而几分钟之前这里还开着花，刮着沙？这类似于赫尔佐格在蒂莫西·崔德威尔掌镜的《灰熊人》中发现的偶然的电影魔法。崔德威尔前后摇过镜头，只留摄影机记录下风拂过的灌木与其他植物。“崔德威尔也许没有意识到，那些看起来空荡荡的时刻有一种奇异的神秘的美。”当灌木和树丛在风中摇摆起伏，像是无意中向塔可夫斯基致敬时，*赫尔佐格解释说：“有时候，画面本身生出它们自己的生命，它们自己的神秘主角。”

---

* 当然了，对于赫尔佐格本人，特别要提到那句著名

的——“你没有听到周围那恐怖的叫声吗？人们称这叫声为寂静”——就在《卡斯帕尔·豪泽尔之谜》（*The Enigma of Kaspar Hauser*）开场，还有小麦在风中摇摆的镜头。

这就像一场梦，但潜行者的眼睛并没有闭上，就好像我们看到的一切都是睁着眼的幻觉。* 他一动不动，双眼直视，就像死了一样。他看起来真的像极了爱德华·韦斯顿（Edward Weston）[①]1937年在科罗拉多沙漠拍摄的死人；一样的头发，一样的瘦削、痛苦的面容，一样的短胡茬——唯一的区别是周围的环境：贫瘠干燥的科罗拉多，潮湿的“区”。一个声音——女人或者小孩的声音，也许是潜行者的妻儿——朗诵一首不太像诗的诗；这是《启示录》的片段，关于血色月亮和星星坠落。我第一次看《潜行者》的时候曾好奇这象征了什么，就像曾苦恼于《金枝》（*The Golden Bough*）中的渔王、《荒原》（*The Wasteland*）中的腓尼基人弗莱巴斯的寓意；现在无论是电影还是诗歌都要讲意义，即便这意义就像鱼儿在水中一样难以捉摸。镜头转为棕色，泥泞

① 美国著名摄影家。

的深褐色的睡眠就像一场梦，充满了死亡以及无人清醒或存活时的剩余物，一个未来，一切看起来——所有分散在各个大博物馆里的艺术品——都是一些压根儿来不及醒来或继续工作的沉睡意识的梦。水面之下，有几条鱼（用鱼独有的方式沉默着）、几枚硬币（作为货币一文不值，但作为古董，却是无价之宝），还有施洗者圣约翰（留着胡子，穿着斗篷，慈祥温和）的画像，来自凡·艾克兄弟的根特祭坛画。这个片段，就像风呼啸而过的风景一样，是典型的塔可夫斯基式的；在他所有的电影里都有类似的事物：被废弃的普通之物的魔力，日常生活的电影考古学。**

---

* 这个比喻是我在圣克鲁兹时从一个上了年纪的瘾君子口中听来的，他回忆起LSD仍然合法的年代时说，过去跟现在的迷幻药的区别是，早年间的药品制造“睁着眼的幻觉”（相对于闭着眼的幻觉和睁着眼的失真）。一种睁着眼的幻觉：对于电影，没有比这更贴切的形容。

** 在《镜子》中，母亲朗读了一首塔可夫斯基父亲的诗：

世上一切皆改变，即便

最朴素的：壶与罐……

这恰是我们在塔可夫斯基电影中所感受的……不过让我们再退回去一点，回到作家——而不是塔可夫斯基——说，我们在这里——他的意思是活在世上——是为了创造艺术。忽略塔可夫斯基父亲的诗句，也许《杜伊诺哀歌》（*Duino Elegies*）[①]的第九章更为接近，诗人里尔克发问：

也许我们要说的是：房屋，
桥，井，门，罐，果树，窗，——
至多是：圆柱，塔楼……但要说它们，你
需先理解它们，
哦，用一种事物本身也想象不到的方式说它们。

诗人"说"这些事物；而塔可夫斯基展现它们，让我们能够用一种比非电影的裸眼更深入的方式去看它们。里尔克继续描绘了"区"的诗意：

---

① 奥地利诗人里尔克诗作。

此刻是可言说的时间，此间是它的归宿。
说吧承认吧。可以体验的
事物越发消逝，
驱逐它们，替代它们，是无意象之行为。

塔可夫斯基将里尔克认为正在消逝的那些事物保存下来，或是将其可视化——讽刺的是，其消逝乃是因为影像无处不在（“我们过于拥挤的注视”，诗人在前面几行中写道）。“区”：意义的庇护所，未消失的希望。(塔可夫斯基和里尔克的这部分重合并非像看起来那么随性。自从1889年和1900年在那片广袤的土地上旅行之后，里尔克就着迷于俄国文学和思想，用一位评论家的话说就是：“来感受那个国家的声音。正如他十年后写道：‘我天性的源头，我一切内在的起点都在这里。’”)

从梦境中逃脱，重回色彩世界……那只狗现在正在那里，召唤我们重回电影中的世界，那个诱人的世界，那个允许诉说与犬吠的世界，也许我们根本没有离开，只是更深入了。潜行者睁开眼，好像从死亡中回魂，或是从梦中醒来。他开始背诵福音书中的句子：“正当那日，门徒中有两人往一个村子去，那村子叫作……”我

们没听到村子的名字，但显然，那指的是以马忤斯[1]。现在有人可能想忽略塔可夫斯基的东正教背景，但这是不容忽视的——不容忽视却又容易混淆，至少在我看来是如此。他亲自接近他们，但他们没有认出他，他问他们为什么脸带愁容，其中一个名叫……镜头逗留在教授的脸上，正巧潜行者要说出犹大的名字。一些念头混杂在我的脑海中：关于礼拜天学校的模糊记忆，学校的宗教教育，还有最近（就在不久之前），一部分来自《荒原》。不，这与背叛无关，只是关于复活，他没有死，他重生了。作家的眼睛睁开着，教授的眼睛睁开着，他们都没有让人产生幻觉。他们坐在那儿，听着，考虑着同样的问题：这个潜行者是否有救世主情结？潜行者没有改变话题，接着他们打瞌睡之前的话头说起，提醒他们现在正在讨论的是生命的意义与艺术的慷慨。（是他们？是我们？什么时候？）比如音乐吧。它与现实无关，缺乏联系。当他说这些的时候，摄影机从岩石间升起，掠过覆盖的翠绿色的苔藓，照向镜一般的灰色湖中倒影。杉本[2]式的风光充满在银幕上，绝对的虚无，没

① 这一段出自《路加福音》。

② 杉本博司，日本著名摄影师。

有任何联系（除了与杉本的联系），随着镜头继续向上，我们看到了湖边树木的倒影，沉静的湖面，然后是树和灰色的天空。这虚无的一瞥与现实无关，它自身就是现实。* 在《潜行者》或者塔可夫斯基的其他电影里，很少出现天空。他最执着于土地——没有雪莱式的幻想——对天空的兴趣只限于它“在河里，在水坑中”的倒影。

---

* 据说正是这个片段在摩斯电影的最初版——雷贝格所拍摄的被毁的那一版——放映会上遭到某官员的批评，认为其没有焦点：这是个非常奇怪的评论，因为根本没什么可聚焦。

又传来布谷鸟的叫声。教授和作家出神地听着，潜行者继续说教，关于我们中的某些部分如何与并非必需品的音乐之美和谐共鸣。他们没有显露厌倦，或是像个坏脾气的小孩，他们只是出神，坐在那儿听他讲着，好像这就是他所说的音乐，只有布谷鸟的叫声，宣告着未经要求的奇迹的存在。

但这些都无法让他们期待接下来潜行者安排的项目：一条湿滑、肮脏、令人毛骨悚然的隧道。当旅行开始时，“区”看起来温驯而柔和，但随着足迹深入，它也逐渐露出狰狞的面目，每过一分钟都令人多一分畏惧。作家说他不想走在前面，教授看来也不怎么情愿。他们抽签决定，作家输了——他得领头。作家一向蔑视潜行者和他的螺母，现在也不得不请求他再扔一个。他已经从极端的怀疑转变为恐惧的相信。也许这正是信仰的本质。也许无恐惧即无信仰——恐惧那种信仰所带来的结果。潜行者比扔螺母略为进步了一点，他用力扔出一块大石头，好像那是一枚手榴弹（“洞中之火!”），关上吱吱嘎嘎的铁门以躲避爆炸的袭击。悄然无声。石头要么是人间蒸发，要么是落在柔软的沙地上，连最轻微的“扑通”声都没有。这丝毫无法缓和作家走进隧道时的恐惧。潜行者和教授让开隧道入口，好像担心某些朝着作家的袭击可能也会伤害到自己。像之前一样，当作家一脸愤世嫉俗地向“房间”挺进时，我们就在他身后，跟随他沿着这条有回声的，遍地玻璃，装饰着钟乳石的羊肠小道小心翼翼地前行。两壁空空而湿滑。好像《飞向太空》中空间站曲形的廊道，只是被废弃了，可以转租给《异形》(*Alien*) 系列电影的剧组。如果有什么怪物或者杀人狂之类的突然跳出来一点也不奇怪——也就是说没有受到任何约定的奴役——到目前为止，我们都相信，什么事都可能发生，即便什么都没发生。这是另一个关于电影本身的严肃时刻。维姆·文德斯认为，塔可夫斯基在《潜行者》中将电影带入了“全新的领域”，在那里，“每一步都可能是你的终点”。每个人——观众、制片人、演员，甚至媒介本身——“每一步都在绝对危险之中”。所以，作家就是我们倒霉的代表（另一个形式的潜行者），领头去探察这个“威胁生命”的区域。* 他继续前行，一步一步。现在我们到了他前方，看着他朝这边走来，准备面对将要面对的一切。他并未丢下他的恐惧；相反，他每一步都更加接近恐惧的源头。隧道到处渗着水，像一个坏了的潜水艇。水从头顶滴下来，可能也从地面渗上来。脚下踩着碎玻璃吱吱嘎嘎。他正在“区”中最危险的地方，绞肉机，不过也有可能是在别处。

---

* 布列松：“摄影意味着遇见。在不期而遇中没有什么不是被你秘密期待着的。”

“黑暗在水滴声中蔓延，那是神秘的地下雨……从头顶的废墟落下。我们穿过雨中，沿着一条干燥的小道爬了大约五十码，下面是一个安放重型机械的区域。我

们在小道的尽头停下来，这里有一条格栅爬梯，底端淹没在洪水中。这时我们已经走入废墟深处，但实际上距离主制冷装备只有短短的距离……这地方看起来像一个陷阱，像地狱一样危险。”

这一段读起来就像从作家在从“区”返回后写的书里摘录的一样：畅销书《区》，根据他与潜行者的真实历险故事改编。实际上，它取自威廉·朗格维舍（William Langewiesche）[①]在“9·11”袭击之后所写的《美国之地》（*American Ground*），描述了“世贸大楼的坍塌”。我再一次被电影的**深度**和它对事件——无论是现实中还是文化上——的包容所折服。

作家看到了什么东西——从他的表情可以看出——什么可怕的东西。有扇门，他喊道。潜行者在后面让他打开门。就像我们在学校时常说的那样，作家堵住门。不管门后有什么——另一扇地下之门——都不会令人愉快。他拔出枪。可怕的错误。端起枪，他的命运就已注定。潜行者让他把枪收起来：还记得那些坦克吗！作家停下来。也许他是在回忆那些美国科幻电影里外太空怪兽出现的片段——“子弹弹了回来！”——那些怪兽往

① 《名利场》记者，畅销书作家。

往是俄国人充满敌意的象征，作家也是其中一分子（所以实际上他是他自己最可怕的敌人）。作家扔掉了枪，打开门。那是一间贮满水的内室——就像《海神号历险记》（*The Poseidon Adventure*）[1]里的场景，不过地点换成了库尔斯克，那艘在劫难逃的潜水艇[2]。不是陈腐的积水。那水看起来又冷又脏（好像洗过全世界最脏的盘子），说不定还有放射性。作家仍然走下梯子，水淹到胸。他已经见惯了“区”中湿漉漉的状况，甚至都没脱外套，将其举过头顶。他已经湿透了。教授跟在后面，但潜行者现在有些担心，他问教授有没有那种东西。那种东西？比如枪？没有，只有一剂以防万一的毒药，他说着，也浸入水中，把他钟爱的背包举过头顶，就像美国士兵举着M16步枪涉过越南雨季涨水的河流。“你是来送死的吗？”潜行者问。教授没有回答；他专心跋涉着。他也已经湿透了。如果这是打水仗比赛，那他俩谁都赢不了。他们都已经经过了“区”的洗礼。潜行者跟在后面，把作家丢弃的枪轻轻推进水里，它将在此成为无害的象征。接着他又朝作家喊话；作家不情愿成为

---

① 经典灾难片，描述了邮轮倾覆的海难。

② 此处指俄罗斯“库尔斯克”号核潜艇沉没事故。

领头羊，但无力阻止，此刻已经到了一间沙丘起伏的巨大房间。就像瓦尔特·德·玛丽亚（Walter De Maria）[1]的《纽约土壤屋》（*New York Earth Room*），只不过是由沙子构成，而且大得多。一枚潜行者扔出去的螺母骨碌碌从沙丘上滚下来。作家和潜行者伏在沙丘上寻找隐蔽处。作家看起来很茫然，不知身处何方。一道闪光令人炫目。一只鸟拍打着翅膀飞过，穿过沙地深处，还未降落，便消失了，这不是电脑三维动画（没有电脑三维动画的时候）。又一只鸟旋即出现，却没有消失，而是像一只普通的鸟儿一样落地。这就是你的“区”：彻底的奇异，同时又彻底的平常。*

---

*蒂尔达·斯文顿（Tilda Swinton）所饰演的角色——白色假发、白框墨镜、白色牛仔帽、白色风衣——在吉姆·贾木许（Jim Jarmusch）[2]那部空洞的《控制的极限》（*The Limits of Control*）中提到了这个片段。据说这来自80年代她在牛津读书时的亲身经历：“我看了塔可夫斯基的《潜行者》，有一幅这样的画面——一只鸟飞

---

① 美国女艺术家。

② 美国独立电影导演。

过沙丘之屋。其实我经常做那样的梦，也许从十岁以后就开始了。在看了电影以后，梦不再出现，但有一个想法冒了出来，原来别人也有同样的梦境，还拍进了电影。这的确启发了我与电影的渊源：它是无意识的。

这不是一段一见钟情式的经历：我第一次看《潜行者》时还有一点无聊，完全没有动容。我没有被电影征服（有点愚蠢地说，我完全没想到，三十年后我要写一本关于它的书），但这是一段挥之不去的记忆。有关它的一些东西始终萦绕于心。那时我住在帕特尼，一天，我和当时的女友一起在里士满公园散步。时值秋日，一只鸟掠过斜坡，向树丛飞去，它拍打着翅膀，奇妙得像极了第二只飞过沙丘之屋的鸟。我立刻想要再看一遍这部电影，从此以后，想要再看一遍—— 一遍又一遍——的欲望从未干涸。* 直到现在。经过这一次观影马拉松，我恐怕再也不想看它了；从今往后，我将永远将它埋葬。至于那只消失的鸟，我如今觉得它如果没有消失也许更好，如果它只是一只普通的飞翔的鸟儿，而不是魔术般消失的鸟。实际上，我对于“区”中明显的非现实成分并不在意——比如对作家喊“停下来”的那个声音。我深信“区”的神秘和魔力，因而没有必要显

示更多的非自然或非正常的现象——不过，也许没有像消失的鸟儿那样的片段，就无法展现“区”的神奇。对了，还有大地的涟漪——我总是希望这样。

---

* 我也许想要立刻再看一遍《潜行者》，但那是不可能的。我不得不等它再次在影院上映。当然了，在家里用DVD看《潜行者》——至少是浏览一遍——非常方便，随时想看都能看。但我还是喜欢在影院排期与节日计划的左右下拜访“区”。在伦敦或是任何一个我临时落脚的城市，我都会翻看《城市指南》(*Time Out*)、《乡村之声》(*Village Voice*) 或是《巴黎眼界》(*Pariscope*) 之类的杂志，希望有《潜行者》的档期。如果它碰巧正在上映，那么看这部电影就成了头等大事，一周的安排都要围绕它成形。正因如此，“区”一直保持着特殊性，抽离于日常生活（同时也是日常生活的一部分)。去影院也往往成为一次小小的探险，一次电影的朝圣之旅。与“区”相似的是，这部电影也因为观影地点的不同而有了细微的改变：在巴黎第五区的一家小电影院——我恰好在同一家影院看过《奇遇》——看《潜行者》，与在纽约林肯中心塔可夫斯基回顾展上的体验就有所不同。将电影院作为非永久性的朝圣之地怎么样？布列松认

为，电影所提供的丰富性是无穷无尽的，所以“巴黎应该有一间装备完善的小电影院，每年只固定放映一两部电影”。更进一步想，可否开一座专门放映《潜行者》的电影院？［关于这种可能性，略微不那么狂热的做法可以参看159页的大卫·汤姆森（David Thomson）。］（此处指原书的页码——译者注）

在DVD出现之前的漫长时间里，《潜行者》是通过电视播放的，我录了下来，以确保有一份这部电影的拷贝，但与《远方》里的马赫穆不同，我从来没在电视里看过《潜行者》。我决不会在电视里看的节目和人物的清单不仅包括《疯狂汽车秀》和杰瑞米·克拉克森，还包括……《潜行者》。不能在电视里看《潜行者》的原因之一是，“区”就是电影院；它根本不存在于电视中。这个禁令不仅对《潜行者》有效，还包括其他那些有电影艺术价值的影片。电视有没有高清什么的根本不重要：伟大的电影必须是投映的。正如约翰·伯杰（John Berger）[①]所说，这是仰望天空（除了电影的天空，电影之星还能来自哪里呢？）和查看碗柜的区别。我对此信条不可动摇，然而随着越来越少的经典电影能

① 艺术批评家。

在影院放映，我面临着电影史的一大部分将在我生命中消失的危险。我只允许我们在家看情感剧，那种从类型上就缺乏电影艺术价值的影片。所以我们买了一台DVD放映机，它很棒，虽然每次想看电影时都要动手——设置宽高比，浏览复杂的目录，调换立体声挡位，放下百叶窗遮挡街上的光——常常令我中途放弃。所有的这些都还是可以预期的。不可预期的问题是，这么多过去的经典影片实际看来都很糟糕。布努艾尔的《资产阶级的审慎魅力》(*The Discreet Charm of the Bourgeoisie*) 和《白日美人》(*Belle de Jour*) 糟透了。戈达尔的《筋疲力尽》(*Breathless*) 根本没法看，不仅仅是因为吸烟。相比基耶斯洛夫斯基的《两生花》(*Double Life of Véronique*)，直白的色情片也显得富有品位。看完布列松的《乡村牧师日记》(*Diary of a Country Priest*) 真是一场艰难的战斗。好在我们还可以看塔可夫斯基。除了《乡愁》，那部电影我第一次看时就很失望，现在觉得它比我记忆中还糟糕。到目前为止它还是太糟了——我认为最好还是将《牺牲》一直留在记忆中的音像店架子上。

教授和潜行者看着沙丘顶，好像他们正置身于一部

以《硫黄岛浴血战》（*Sands of Iwo Jima*）[①]为背景的科幻舞台剧。（提到舞台剧，让我想起我一直不愿承认甚至——经过这么多场景之后——不愿注意的："区"里的一些内景实在太像在摄影棚里拍的，而不像寻到或是偶然碰到的。它们充满了设计感和人工感，换句话说就是做得有点过了。）作家已经累垮了。他躺在一个水坑里：他已经完全适应了湿漉漉的生活，现在几乎是水陆两栖了。他身后是一个圆形的金属容器或是圆桶一类的东西。他站起来，朝它走去，看了看里面，又走回来，拾起一块石头——也许就是潜行者扔的那块，尽管严格来说这是不可能的（某种意义上，不可能意味着一切皆可能），扔进那浅浅的桶里。也许就是同一块石头，那块落地时悄无声息的石头，因为这一次它也没有击起任何回响，什么都没有——过了十秒或十二秒，传来了溅入水中的回声，说明这段距离恐怕至少有帝国大厦那么高。现在可以理解先前的场景了：第二部分开始时那个被石块击碎的月亮的倒影，还有吟诵的诗句。那很有可能是在这个管道或是桶或是别的什么东西的底部，石块落在水面上的情景。考虑到它的深度，作家敢在它边上

① 1949年美国电影。

休息，就好像在由麦卡诺制造的戏水池边一样，也的确胆子够大——所谓的桶实际上是个一英里深的竖井。

作家现在已经深信不疑。扔石头这件事——教授式的实验——向他证明这里没有现实。这都是某人白痴式的发明——谁的呢？如果赞同作者论的话，我猜是塔可夫斯基的。作家对回答这种拗口的问题不感兴趣。他呜咽着，但就像大多数还有一点儿机会的作家，呜咽很快又变成了哭诉，控诉那些评论家以及他的工作如何不被理解。如果他不喜欢写作，那么他是哪一类作家呢？按照托马斯·曼的说法，一个真正的作家会发现写作对他比对其他任何人都困难。这不是自我慰藉。恰好相反。写作是慰藉的对立面，它是折磨。托马斯·曼评论这就像挤痔疮一样——这个比喻也有令人振奋的一面。在弗朗索瓦·奥宗（Francois Ozon）[①]的电影《游泳池》（*Swimming Pool*）中，夏洛特·兰普林（Charlotte Rampling）说文学奖就像痔疮：迟早每个屁股都会得。在《雷贝格与塔可夫斯基："潜行者"的另一面》（*Rerberg and Tarkovsky:The Reverse Side of "Stalker"*）中，作家的这番话被认为是代表了塔可夫斯基自己的独白。作家想要改变"他

① 法国电影导演。

们”，但实际上他才是被“他们”改变、被“他们”吞没的。塔可夫斯基的视角是他自己的，或者也是我们的。于他而言，塔可夫斯基相信他的“整个生命由妥协筑就”。现在，镜头慢慢移向作家——这是他的独白，他的哈姆雷特时刻，他的特写。换言之，无论何时你想要倾吐心声，塔可夫斯基的镜头都在那里，巧妙地靠近，随时准备奉上眼与耳。作家心烦意乱，当他坐在无尽深洞的井边，看向自身的深处，直接对着我们说话时，“区”正在施展它那潮湿的魔法，挑动观众们与自己发生互动的反应。

那么我是哪一类作家呢，已经沦落到写电影摘要了？何况我最痛恨的莫过于有人为了劝我看某部电影而总结剧情摘要，描述其中的情节，因而毁了我观看这部电影的所有可能。作为辩护，我得说《潜行者》是一部两句话就能总结完的电影。所以，如果总结意味着缩写成一个摘要，那么这本书就是摘要的反面；它是扩张和延伸。这仍然有个问题，是否值得在这上面花时间？这么做的目的是什么？当然，这么做本身就是目的。但它能造就什么——能否组成有价值的评论，而这些评论自身又是否能成为艺术——尚不明确。关键在于，作为这评论的产物，我没有作家回顾自身时产生的失落。我没有穿着湿漉漉的外套坐在深渊之侧，而是穿着温暖的羊毛衫坐在书桌旁。我继续做着自己的事情，一直前进，朝着自己的“房间”。有一类作家，有一类小说家，不愿从自己的作品上分神。对他们而言，评论就是一种分神，是次要的，或者说是没有意义的。但也有另一类作家，对他们而言——我指的不是单纯的评论家——评论是他们创作的核心，他们坚持认为，在某种程度上，评论能够像小说家最初的作品一样充满原创性。如果人类生来是为了创造艺术作品，那么另一些人生来就是为了评论这些作品，分享他们的看法。不是客观地、批评性地衡量这些作品，而是尽量精确地表达他们的想法，毫不掩饰他们思维的脱线、品位的崩坏和自身经历的偶然，即便这些感觉本身就是混乱的、不确定的——在这种情况下——不曾消退的奇迹。

作家已经结束了他的发言，穿过沙丘朝其他两人走去。镜头慢慢下移，落在他刚才站过的地方，显示他留下了什么重要的东西：线索。我们等待着。但什么都没有发生。只有沙，冷漠地轻轻扰动着。

潜行者又高兴起来。如果作家挺过了绞肉机，那他一定是个好人。绞肉机是个可怕的地方。豪猪派来的兄弟就死在这里。他的兄弟是个天才，一个诗人，潜行者常引用他的诗，好像依靠这些才能支撑着继续走下去。这是“区”的另一个古怪之处，或者说是特性吧：三个人从没有一起高兴过。作家现在着实气坏了。他怀疑在抽签时潜行者作弊，他认为潜行者更喜欢教授。随他们去吧！气氛紧张起来，黑狗又出现了，它不再像是来自潜意识的信使，而只是一只可爱的小狗，在作家指责潜行者时，它轻快地穿过水坑而来，告诉作家他是一个骗人的小混蛋。他们在一个房间里，有从窗户透进来的背光，窗外是青葱世界，整个画面被一扇敞开的门紧紧框定。电话响起来。作家继续咆哮着，猛地抓起话筒——不，这里不是诊所——接着又咆哮起来。突然——塔可夫斯基又一个无意识的喜剧时刻——他们像巴西皇帝佩德罗二世[1]第一次见到新发明时一样盯着电话：“天哪，它说话了！”好像整部影片都是英国电影学院奖赞助的短片《不要让电话毁了你的电影》[2]的加长版。* 就像罗伯特·伯德（Robert Bird）所说，这个意外的喜剧片段有其历史根源：爬上斯大林格勒废墟的士兵们偶尔遇到奇异的文明遗迹，“比如响起来的电话”。说话意味着

① 巴西帝国第二个，也是最后一个皇帝。

② 出自学院奖的一则幽默广告。

还能用，此时教授忽视了作家的警告——不要碰！——拿起了话筒（它看上去就像是西部片中的引爆装置）。那是转盘式的拨号电话，所以这个片段又增加了考古式的魅力。从进化的角度看，食指在拨号电话机的时代曾经长期享受过统治地位，而现在这个动作已经快灭绝了。在短信和手机的年代，食指寂寞无用，而拇指迎来了复兴。教授立刻拨通了——不是自动答录系统（那会让拨号电话看起来有点问题），而是一个真正的说着俄语的人。他打了一通私人电话，也许还是长途，这也让人想起过去的年代，那时打电话还很贵，人们抓紧一切机会花别人的话费打电话。他的对话都是加密的，听起来没什么意义，但却充满了不祥之兆和危险的气息。我在老楼里，他说，四号燃料库。（这是另一个巧合的细节——根据阴谋论，总是有一些散乱的巧合——更让人觉得这部电影是核泄漏事故的预言：在切尔诺贝利，正是四号反应堆逐渐熔毁。）很明显，教授打算干点什么，尽管那些事——用布法罗·斯普林菲尔（Buffalo Springfield）[1]歌里的词来说就是——尚不明确。另一端的声音——俄语，听起来很危险——说无论他在谋划什

① 20世纪60年代一支美国摇滚乐队。

么，都是对于二十年前他睡了教授妻子的复仇。（二十年？对于一个被戴了绿帽子的男人的怨恨而言，这真是漫长的时间。）作家替我们问了一个我们无法开口的问题，他问教授打算干什么。考察人们来这里时是什么样的，教授说。那些不值一提的独裁者和自诩的元首[1]，人们来这里不是为了金钱而是为了改变世界。** 这是个不错的观点。许多年来，我也感觉自己想成为独裁者，政权的统治者，生活的每个细节都要符合我的意愿。这个世界到处都是我这样的人：那些懒散的斯大林，只是因为缺乏动力和野心才没有取得政权、行使权力（欲望需要由实现这个欲望的意愿所支持）。如果我们能够进入“房间”……我不会带那样的人来，潜行者说。我们知道他们站的那一个房间可能就是真正的“房间”，但这种情况下的“房间”让人非常失望，事实上，它与别的任何一个房间没有什么区别。（塔可夫斯基最令人质疑的才能就是他在文字上的过分朴实；将他们的目的地、追逐的圣杯，命名为房间真是太妙了

我的意思是真是太糟了。）我们看着他们穿过门口，没有门的门口。作家忙着在手上摆弄一根绳子或是麻线，

① 原文为“führer”，是纳粹德国时期对希特勒的称呼。

对教授的演说心不在焉。人人最关心的还是自己的小天地。向统治你的人复仇，诸如此类的事他还能理解——奇怪的是他从没提过作品畅销或是赞美的评论——还有更大的事吗？来这儿的没有对那一类事感兴趣的人。冷酷的独裁者们想的是算总账，爬上梯子的更高一层，就可以向那些曾经冷落怠慢过他们的人或是睡过他们老婆的人或是那些印象模糊但始终不能释怀的冒犯——也许不是针对具体哪个人，而是他所代表的阶层或是种族——复仇。由此看来，这个迅速做出的决定，很容易就会把所有这些人清洗掉，继而是任何其他的看上去有能力向你或是你的后代复仇的阶层或种族。在搞清楚这一切是怎么发生的之前，苏格兰已经血流成河，而我们已经有了古拉格体系——像班柯[1]的鬼魂般偷偷地接近塔可夫斯基的电影。潜行者说，要相信快乐建立在损害他人的前提下是不可能的，这么说有点幼稚，尤其是对作家而言，一想到某人——面对批评之声或是惨淡的销量——会更不开心，已成为人类的快乐之源之一，这种想法就算不是在文明破晓之时就已出

① 莎士比亚悲剧《麦克白》中的人物，被麦克白杀死，后以鬼魂显灵，使麦克白暴露自己的罪行。

现，也肯定是伴随文学新闻的发明而萌发。作家打开开关，头顶的灯亮了——还不如不亮——灯泡一下子发出刺目的光，刺得他们突然眯眼。用力过猛。过了几秒，伴随“砰”的一声，灯灭了。“区”也许从根本上与外面的世界不同，但是电力故障哪儿都逃不掉。这个隐藏在其他更明显的隐喻之后的细节会是整部电影真正的核心吗？如果他们最深层的愿望——即便只是消极地表现出——是能有稳定的电力供应，那么也许这个片段会是对国家为全体国民供应电力失败的隐性批判。

---

* 一则充满暗喻的YouTube式视频，教授接过电话说：“哈，米开朗琪罗！”

** 塔可夫斯基玩弄了“续集电影”的概念，潜行者有了某种类似的趋势，“强行带人们去‘房间’，成了一个‘信徒’，一个‘法西斯’。威逼他们快乐”。

时间继续流逝。他们穿过没有门的门口，一条通道。作家最后给了点甜头，他告诉潜行者，自己不会忘

记他的。他好像在编织一顶荆棘的王冠[①]。他戴上它，事实就是这样，就像一副手套一样合适——但那不是手套，那是荆棘的王冠。这里又有什么《圣经》的线索？影射鲍勃·迪伦（Bob Dylan）的“遮风蔽雨”[②]？作家是基督徒？我不知道。万物如此。又非如此。也许吧。我们暂且把此事放下。作家戴着自己做的荆棘王冠，但要想确切解释这个情节的象征性意义，无疑是自做荆条任人鞭笞[③]。让某人戴上荆棘的王冠，然后让我们选择是否在象征符号的领域对看似孤立的行为做宗教上或象征意义上的解读，的确是一大成就。对他的电影的象征性意义的解读，塔可夫斯基一贯抱有敌意，这种敌意也延伸到对“区”的含义的疑问：“对于这一类问题，我已经是愤怒加绝望的状态。‘区’在我的电影里没有象征任何东西，任何别的东西：‘区’就是‘区’，是生命，进入了‘区’，要么被打败，要么走出来。”哈，所以“区”又不仅仅是个“区”——正如塔可夫斯基承认的，它还是“一个测试”。*

---

① 耶稣被钉上十字架时被戴上荆棘做的王冠以示嘲讽。

② 鲍勃·迪伦的一首歌。

③ 意为自讨苦吃。

* 一如这部电影本身。《潜行者》长期被视作电影高雅艺术的同义词，也是对观影者鉴赏能力的测试。那些拥有凯特·布兰切特（Cate Blanchett）式狂热的人——“这部电影的每一个镜头都烙印在我的视网膜上”——不仅证实了塔可夫斯基目标的高度纯粹，还有他们仍有能力幸存于人类成就的顶峰。所以一定的反作用是不可避免的，也是值得的。在《电影传记辞典》（*Biographical Dictionary of Film*）的不同版本中对塔可夫斯基报以冷遇之后，大卫·汤姆森在2008年终于将《潜行者》列入一千部最佳影片的殿堂（只是在辞典中提到，并没有详细讨论），“你是否看过……？”但他仍然对“区”核心中的“房间”持暧昧态度，怀疑它终究是“一片无限的圈地，不知多少陌生人正在里面看着塔可夫斯基的作品。同样，也许有某种阴霾笼罩这个世界，让我们难以区分是身处‘房间’‘区’，还是本地的电影院”。这比塔可夫斯基想要从他的崇拜者们——包括他自己——那里所得到的敬畏要好得多。我本能地排斥个人崇拜，虽然我从没有真正被赞美所包围，但我知道自己讨厌被崇拜。我认为身为作家最好的事之一，这项工作的额外福利之一，就是有人走过来告诉我，他们有多爱我的书。

我也喜欢这样的事。大约十秒吧。接着我就迫不及待地想要换个话题。实际上，我需要些许修正刚才我所说的对崇拜的包容力。对于崇拜某人的作品，我的包容度是相当大的，但我怀疑“崇拜”这个词描绘的是对人的关系而非对物。如果让我说我非常敬佩**你的**作品，终于有机会见到你。我会喜出望外，决不会羞于表达我的赞美。但很快，如果我感到你把这作为其他互动的基础，如果你想把这种喜爱扩展到必要的礼貌之外——换句话说就是，你还没有厌倦被崇拜而我已经厌倦了崇拜——那我就会认为你是个傻瓜。

这么一长串解释说明了一个简单的道理：如果你天性需要被崇拜，如果你不讨厌被崇拜，那就有道理来崇拜自己。如果你是个公众人物，这一切都发生在众目睽睽之下。我猜这就是塔可夫斯基的经历。

教授被黑狗的哀嚎扰得心烦意乱，黑狗蹲坐在两具腐烂在泥土中的骨骸旁，那是以前的来客——朝圣者或是破坏者？——他们的死因也许永远无法得知，但这不意味着他们的死没有原因。镜头移动到死者身上：两具骸骨紧紧拥抱。

他们正身处一个巨大的荒废的房间，潮湿阴暗，看起来像一个大型化学装置的遗迹，好像“区”诞生于一场失败的试验。往右边，穿过墙上的一个大洞，是他们正在追寻的光源。众人沉默良久。只听到叽叽喳喳的鸟鸣。这与那些苔草枯萎、鸟兽无踪的地方完全不同。鸟儿们像疯了一样鸣叫着、歌唱着。潜行者告诉作家和教授——告诉我们——我们正处在“房间”的入口。这是你生命中最重要的时刻，他说。你最深层的愿望将在这里得以实现。我们相信他。这正是此行的目的，让我们此刻相信潜行者的话。从理论上说，一个人的一辈子都可以像是在这个入口；每一刻都像此刻。并不是说你得明确地想要什么，潜行者说。你只需要集中精力想过去的生活。这会让你在进入“房间”的时候好像死去一样，你的生活在眼前闪现，你回顾自己的生活，面对着它的终结和不可重复，估量生命的虚度（或者是永恒的重复——如果你信奉尼采的话——重复但不变，效果相同）。潜行者心事重重。当一个人回想过去时，他会变得比较宽容，他说。一个有趣的观点，但是显然不准确。你会意识到大部分重要的经历——除了疾病和死亡——都发生在过去。这使得过去比未来更富有吸引力。越老，就会花越多的时间回忆过去，那些曾经发生的事。老人们的时间差不多都花在回想过去上。过去带给他们的除了温暖还有苦涩。过去成为后悔的源泉；那些未曾实现的希望，那些失望、背叛、失败、欺骗，所有这些通向的这一刻本可以不同，可以好得多，可是，即便你能重新洗牌，往往最终还是会停留在此刻，你手里拿着——或者缺少——同样的牌。

但最重要的是……潜行者此刻比我们此前任何时候所见都要焦躁。很难找到合适的词形容他的表情——或者表情们，之所以用复数形式，是因为他的脸上好像一秒钟奔涌过所有的表情，或者是所有的表情同时出现在他的脸上。对他而言，什么是此刻最重要的？那是疲惫、焦虑、真挚与绝望……的混合体。他背对着其他人。他走开了。最重要的是……信任。相信此刻，相信“房间”，才能获得力量。如果你相信它是真的，它就是真的。

潜行者谈论着信任，严格地说，我认为他的意思是信仰。根据阿伦·瓦茨（Alan Watts）[①]的《心之道》（*The Wisdom of Insecurity*），其中的区别是“一旦事实与

---

① 美国学者，美国20世纪六七十年代反主流文化运动领导者之一。

其预想的观点或希望一致，信任者将面向事实敞开心胸。而信仰则是无论事实如何，都毫无保留地开放心胸。信仰没有偏见；它投身于未知。信任需要依附，而信仰无所谓”。然而米格尔·德·乌纳穆诺（Miguel de Unamuno）[1]在《生命的悲剧意识》（*Tragic Sense of Life*）中说，信仰是“信仰希望，我们相信我们所希望的”，好像信仰和信任是一体的。或者：“希望是信仰的奖赏。只有他真正相信希望的；只有他真正希望相信的。我们只相信我们所希望的，我们只希望我们所相信的。”嗯……现在我们在“房间”的入口，当我们集中精神回想生命中最想得到的东西——它肯定既不会因信仰、希望、信任在语义学上的分歧而困扰，也不会因它们彼此契合的程度抑或与一生都能免费得到背包的愿望相契合的程度而困扰时，这两位思想家领我们进入了信仰、希望和信任的古老困境。

现在你可以走了，潜行者说。谁想做第一个？作家？这关口我们突然想到，我们从没料想过教授和作家真的到了“区”里，他们最深层的愿望将要实现。他们只是好奇，想看看“区”到底是什么样，是否真的有传

① 著名作家、诗人、哲学家。

说的那种巨大力量。现在他们非常确信了。这也解释了为什么作家根本**不想**走。回想过去并不能让他更宽容。回想过去只会让他想起那些批评之声，那些落入他人之手的奖项——那原本应该是他的，糟糕的销量——没有促销，还有灵感的枯竭：所有这些都是他来到受诅咒的“区”想要摆脱的。所以，不用了，谢谢。非常自然。没有几个人能坦然面对自己的真相。如果他们做得到，那早就逃之夭夭了，并会立刻深深地厌恶那些已经学会旁观自己皮肤多年的人。不用非得勇敢地面对自己的真相一定在任何一个人真实的——而非想象的——愿望清单上名列前茅。荣格认为“人为了避免正视自己的灵魂可以做任何事，无论多荒谬”。还有什么比为了与自己的灵魂约会而走进“区”——却在最后一刻退缩不前——更荒谬的呢？除非逃避是这个游戏的名字和目的，像这样最后一刻的心意转变才符合逻辑。作家放下荆棘的王冠，说：“你不觉得这样哭泣和祷告丢脸吗？”他是对的，潜行者正在呜咽——但是一天都要裹着湿答答的外套当毯子睡在泥坑里，谁不会这样呢？祷告怎么了？潜行者问，看来并不介意。首先，根据尼采的理论，它是为了让愚蠢的人们的双手有事可做，让他们不要烦躁，不要在这地球上安静神圣的地方制造麻烦。从没有接近过祈祷者的状态——在学校，这是抬着双手等时间消磨的问题；在教堂，在葬礼或婚礼，它意味着低头看自己的鞋子，等仪式结束就可以喝香槟了——我表示同意。布列松的乡村牧师也不得不提醒自己，“有祈祷的愿望就已经是祈祷者”，但是潜行者并不需要慰藉物。他的生活就是个永恒的祈祷者，甚至当他没有祈祷时也是在进行某种形式的祈祷，他站着，双眉紧蹙，信仰着他所希望的，希望着他所信仰的。同时，在背景里，教授摆弄着手指，好像在做什么东西，也许是一个更大更好的荆棘的王冠。也许那是他的愿望：赢得王冠制作比赛！我是认真的。我们以为我们的生命中有宏大的目标，但实际上，我们总是为一些微不足道的小事兴奋，这让人生变得可以忍受。我记得我和我爸妈的对话之一就是如果他们赢了英式足球赌球打算做什么。赌球：对于很多英国人来说，这就是他们的“房间”，能让他们所有的愿望成真。“我想要的，”我妈带着混杂骄傲与谦卑的口气说，“就是去超市买到最好的那块牛排。那就是我的全部愿望。”“你**现在**就可以啊！”我嚷嚷着。她真正想要做的是放弃那个——或者那些，因为实际上她说的是余生中每天都要吃到超市里的牛排——她说自己想要的东西。（与现在完全不在乎负债的消费者不同，我父母敲打进我脑子里一条简单的消费观：如果你买不起，就不要想。实际上，前一句——“如果你买不起”——是多余的，因为这其实已经与经济关系不大，而纯粹是一种“就不要想”的哲学。）有一次我和妻子带着我父母出去吃饭（这是很少见的活动，因为他们讨厌去餐馆），我们惊讶地发现我妈把她的牛排全吃了。回家后，我们又发现她居然用餐巾藏了一半牛排放进包里带回了家。这些与肉相关的遗憾好像深植于我的家庭。当我妈刚得了绝症的时候，我爸说她偶尔也会从超市买牛排，挑最便宜的，味道“都不怎么样”。他也说他为过去五十年的食谱感到后悔。他希望他们“能多吃点脂肪”。不是肉，而是**脂肪**。这是带进“房间”的一个绝佳的愿望。想象一下：你最深层的愿望是能吃更多的脂肪。但是，这有点误解了“房间”，因为根据潜行者的说法，“房间”没有回溯功能。你可以走进“房间”，**从今往后**吃到你想吃的所有脂肪，但你无法让已经过去的生活改变，让一个人即使在荒年也能吃到大量的脂肪。

但是也许这往往是一个人最深层的愿望：把这条款修改一下，就可以适用于过去了——希望能发明一种时间机器，回到过去，做另一个选择，押另一个赌注，再掷一次骰子，这一次我们已经预先知道了结果。我在想一个问题：一个人最深层的欲望跟他最深层的后悔一致吗？

毫无疑问，我最深层的后悔跟很多中年异性恋男性一样：我从没有同时跟两个女人上过床。这算是令人同情还是应该算是明智呢？可能是前者，也可能是后者。我回顾过去，看到也曾有过一些机会，但在那时并没有发生在我身上。这是人生的微妙一课：你也许永远不知道得到你非常想要的东西的机会何时出现——一个简单的原因是，那时它可能不是你想要的。我清楚记得，第一个潜在的机会是在80年代中期，我在布里斯顿的破旧小公寓里：我想摆脱简，这样我就能和女朋友辛蒂上床了，尽管我知道简（我们曾经上过好多次床，虽然也曾经分手过很多次）和辛蒂对这类事情并不反对。多年以后，当我跟辛蒂分手后，她确实曾经和简以及另外一个人（男性）上过床。另一次是在布莱顿，我的女朋友从贝尔格莱德过来，我们一起去参加一个派对，还吃了迷幻药，我的朋友凯西告诉我，她要和我贝尔格莱德的女友发生同性性关系，我也可以一起去。但问题出在凯西的男朋友迈克尔身上，他也要一起去（他同样希望我不在场）。

你以为这种事配不上“房间”里的神秘时刻？哦，那还是由“房间”自己来决定吧。“房间”揭示了一切：你得到的并非你**以为**自己所希望的，而是你最**深层**的愿望。我担心我最深层的愿望不是简坐在我脸上同时辛蒂坐在我的老二上，而是别的更尴尬的事，我根本不想公之于众的事。比如？我曾经在布里斯顿弄到一间肮脏的廉租小公寓，由于暴乱——或者“起义”，我们一直坚持这么说——这个地区的房价大跌，我也打算凑点钱贷款买个小公寓，最好是撒切尔廉价抛售——我们都反对这个政策——的政府房[1]。我打赌那是西方世界大多数人的普遍愿望：早一点置业。即便是那些已经置业的人，也意识到没有理由支持斯卡吉尔[2]和煤矿工人，在我们把“要煤不要救济”[3]的徽章贴在风衣上时，他们已经置业了，可能还后悔没能在抢购政府房之前早一点买房。还有别的吗？我不断回顾80年代，那是在我蓄长发之前，在一切变得灰色之前，在我看起来像个渴望三人性爱——至少两个吧——的中年男人之前，在房

① 英国政府提供给低收入者的限价房。
② 1984年煤矿工人大罢工时的工会主席。
③ 英国矿工罢工的口号。

价三十年涨了三百倍之前。

让我们假定“房间”的力量是即时的，无法回溯。如果你最深层的欲望显示在你的日常生活和习惯中，那么我的愿望显然就是混日子，从书桌晃到厨房（倒杯茶），从家里晃到咖啡馆（喝杯咖啡）。这个问题归结到《飞向太空》中就是不知何时生命终结。如果我的生命只剩一周，那么像这样在自己屋里混过去简直太荒谬了。我要干些激动人心的事（虽然这一类事情现在已经离我远去）。不，我得考虑一下这个问题。如果我的生命只剩一周？飞到泰国或者巴哈马画一般的海滩？那我在飞机上就得花掉十二小时，然后再花三天时间倒时差，每天半夜醒着，累到睡不着，白天又要努力保持清醒，好让晚上能睡好觉。这太难了。如果假设你时日不多，那么你不会做现在每天都在做的事。但这就是为什么作家的生命——你花费大量时间做的事也是你想做的——是如此不同。考虑到我偶尔也会出去转转，那么此刻我最深层的愿望就是坐在这里涂涂写写，试图找出我最深层的愿望是什么。

不管怎样，关于“房间”的整个概念就是个笑话。也许你生命中最深层的愿望就是有一个这样的地方，一个“房间”，在那里，你最深层的愿望都能实现。由此推断，我们都不希望发现我们其实并不想“房间”存在，不希望发现即便它存在，我们也不想进去，不希望发现我们可以在超市里买到最好的牛排，但还是愿意把那钱省下来买啤酒或者薯条，不希望发现即便我有了三人性爱的机会，结果却是我适应不了，因为我是那个多余的第三人。我们希望“房间”是我们的外部出口，就像赌球或乐透。我们希望它是通往另一个世界的窗口，而不是反映我们内心本质的镜子。一个人最深层的愿望天天都在变，时时都在变。在我二十来岁的时候，我最深层的愿望常常是——埋藏如此之深以至察觉不到——喝杯啤酒，在打烊之前赶到酒馆。那段日子一去不复返，但现在仍然有时——比如我在电影院里，看着一部惦记了很久的影片——我最想做的，我身体的每个细胞都在渴求的，就是闭上眼睛打个盹。（“眼睛想睡觉，”诗人写道，“但脑袋没有床垫。”）

总之，作家就是不想进“房间”，用潜行者乐观的解读是，他还没有做好准备。这种不情愿或者说是迟疑是典型的中年问题。在你二十来岁时，在你认为你要的东西和你内在的愿望之间根本没有分歧，两者是同一的。这也就是为什么中年人不愿使用迷幻药。我曾经想到五十来岁的时候再用LSD，期待重新感受大地如泥浆般流动，但现在只剩几年了，这念头早就没有十年前那样的吸引力。还能发掘出什么呢？也许我根本没有旅行的欲望。即使等到一个完美的日子，万里晴空无云，也可能在我毫不知情的情况下突然来一场暴风雨，所以外面的明媚只会加深我的抑郁，在我意识到这一切之前，我已经深陷泥泞的绞肉机中，并在一种卑贱的恐惧中越走越远。

那么教授呢？是的，他是为它而来。真令人讶异，尤其是他已经拿回了他的背包。不久之前他还在念叨背包，而现在已经做好准备冒险了。好人。他能得到他正无聊摆弄的一切，但肯定不会是一顶荆棘的王冠。也许是最新技术的热水瓶，比他带着的那个要好得多，能保温或保冷数千年。会是什么呢？一台灵魂测量仪，作家嘲讽地说，结果教授投下了一枚重磅炸弹：这不是热水瓶，这是个炸弹。什么……？没错，一个两万当量的**炸弹**。他是一个俗世的伊斯兰激进分子，向“区”的信徒们宣战，向那些相信“房间”具有神奇力量的人宣战。教授坚持说自己不是疯子，但此时，他看起来听起来都十足像一个拿着炸弹的疯子。他和他在研究所的同伴决定毁掉“房间”，以免它落入坏人之手，阻止那些最深层的愿望是统治人类奴役世界的——那些懒惰的希特勒和贪睡的斯大林——人来到这里。但是有些研究所的同伴改变了看法。他们认定，即使这是个奇迹，也仍然是自然的一部分。*

---

* 看有关《潜行者》或塔可夫斯基的资料，很难回避“奇迹”这个词。“我发现塔可夫斯基的第一部电影就像是个奇迹。”伯格曼说。他说的是《伊万的童年》（*Ivan's Childhood*），但却让人想起《潜行者》，好像他最深层的电影愿望都能实现。“突然，我发现自己站在一个房间的门口，但却没有钥匙。那是我一直想进入的房间，而他却可以自由轻松地出入。”在《飞向太空》的结尾，克里斯似乎也在期待导演接下来又想到什么，“我所剩的只有等待。等待什么？我不知道。一个新的奇迹？”还有更多的奇迹来自塔可夫斯基——只是再也用不到扮演克里斯的多纳塔斯·巴尼奥尼斯（Donatas Banionis）了。《潜行者》一开头的字幕说“区”是个奇迹。在修订版《雕刻时光》里，塔可夫斯基给一帧《牺牲》的剧照写了如下文字：“小男人”给他父亲栽的树浇水，耐心等待不过是事实的奇迹。奇迹不仅是银幕上制造的效果，也是他们创作这部电影的一部分。回头看看他们克服的重重阻碍，总美工设计师拉施特·萨夫林（Rashit

Safiullin）感慨：“每一次都像是在制造小小的奇迹。”

奇迹在塔可夫斯基作品中的流行也许反映了更普遍的社会和历史背景。马克思列宁主义或者历史唯物主义的目标之一是消灭奇迹的范畴。随着苏维埃革命允诺的希望逐渐具象化成斯大林主义无情的官僚机构，每个人都百分百地被卷入极权系统的体制中，这意味着，要摆脱或逃离都需要奇迹。“集中化越强，”娜杰日达·曼德尔施塔姆（Nadezhda Mandelstam）[①]在《一线希望》（*Hope Against Hope*）中写道，“奇迹就越伟大。”生活越难以忍受，就越无法离开奇迹。寄信给斯大林以期望获得赦免或减刑——“这不是信，而是对奇迹的渴求？”——意味着人们生活在对奇迹的例行期盼中。“它们已经成为我们生活的一部分。”有时这些请求会获得回应——比如1934年发生在奥西普·曼德尔施塔姆（Osip Mandelstam）[②]身上——人们“喜出望外”。但是，娜杰日达的话也适用于《潜行者》：“必须记住，即使人们得到了奇迹，这些信的作者也被宣判了悲惨的命运。他们并未做好准备，尽管生活的智慧警告他们，奇

---

① 苏联作家，奥西普·曼德尔施塔姆的妻子。

② 苏联诗人，因写诗讽刺斯大林而遭流放。

迹不过是昙花一现，没有持久效应。在童话里，当三个愿望都实现后，人们还能有什么？晚上得到的金子白天就成灰土。最好的生活是不需要奇迹的生活。”

的确如此，我们在“区”里所见的一切都只是自然的一部分。大地如泥浆般流动，看似奇迹，也许只是我们不能理解的地质运动。消失的鸟儿是光线巧合的作用。晴空朗朗时的一阵妖风，不过是突然刮起的狂风。不管怎样，教授有一些朋友反对炸毁“区”，但他现在正准备这样做。带着最深层的愿望即毁灭“区”，他来到这里；进去之后就把身后的门“砰”地关上，保证他是最后一个能利用“区”的魔力的人。但是即便到了这最后阶段仍然有变数，有可能他最深层的愿望并不是他决心要做的事。这是“区”给我们上的一课：有时候一个人并不想做他以为自己想做的事。另外，也无法保证在物理上摧毁“房间”就能减少对它的力量的信仰。相反，封锁也许会催生更多有关它的故事，加深这个地方的神秘性。

潜行者徘徊着考虑着，从他的角度来看——既作为“区”的信徒，又作为以此谋生的人——这个消息糟透了。他突然转过身，想从教授手里抢过炸弹。他们扭打起来，但是作家过来插手——三次——把潜行者推到漂着灯泡和化学装置碎片的脏水里。很奇怪，教授对这干预不以为然，潜行者又冲过来，再一次被摔在地上。在这个时刻，不能不让人想起唐·德里罗（Don DeLillo）[①]的《白噪音》（*White Noise*），在结尾处，威利·米克有一番精神错乱的演讲："房间的关键在于他们是在其中。没有人应该走进房间，除非他了解这一点。人们在房间里是一种行为方式，在街道上、机场和公园里则是另一种。进入一个房间意味着认可某种行为方式。接下来就是这种行为方式发生在房间里。"

这就提出了问题，是否在一个房间的入口并不仅仅是随便任何一个房间，而是"房间"，所有关于把这个地方炸上天国的议论，所有这些争吵、扭打、把别人推到地上，都是恰当的。

潜行者再一次爬起来，想知道为什么教授要毁掉人们的希望。这个地方是地球上留给他们的全部，是他们唯一能去的地方。为什么要毁掉他们的希望？对教授将要做的事情的恐惧让潜行者恢复了足够的力量，又一次冲向他——只是再次被越来越愤怒的作家推倒在地。

① 美国小说家。

（教授看起来像是刚犯过心脏病——他也被打得快断了气。）作家开始用言语攻击潜行者。他是个寄生虫，享受着万能之神的力量。怪不得他从没有进过“房间”——他已经得到了他想要的一切，所有的力量和秘密。潜行者看起来很少开心；他总是为潜行者的工作心事重重，而现在——他的脸上有血污瘀青，双眼通红，泪水模糊——他看起来彻底绝望了。潜行者不能进入“房间”，他呜咽着说。他们甚至不能为了不可告人的动机进入“区”。不过你是对的，他对作家说。我是个寄生虫，我一辈子没做过什么好事，我没有给我妻子任何东西。我没有朋友。但是请不要把我的一切都带走。在铁丝网的另一边，我的一切都已经被带走了，他说。我所有的一切都在这里，在“区”里。我的快乐，我的自由，我的自尊。我带人们来这里，人们喜欢我——那些绝望的、饱受折磨的人。他们没有什么别的希望。而我带他们来这里。只有我，一个寄生虫，能帮他们。

经过一番直抒胸臆，所有的人都冷静下来。作家也开始怀疑自己。为什么豪猪上吊自杀了？因为他来这里是带着不可告人的动机。那么为什么他不回来忏悔？因为，他现在明白了，不是所有的愿望在这里都有效，只有你最深层的愿望，而对豪猪来说，那就是钱。面对自己真实的本质，他自杀了。“房间”揭示的真相是本体论的。“我们每个人来到这个世界都带着他或她独一无二的可能性——这就像一个目标，或者，如果你愿意的话，像一条法律，”在约翰·伯杰和奈拉·比斯基（Nella Bielski）的戏剧《一个地理学问题》（*A Question of Geography*）中的一个角色说，“我们生活的使命是为了——日复一日，年复一年，变得更加了解这目标，这样它才能最终实现。”除非你是个变态，或者其他种类的精神病患者。那么你生活的使命就是埋葬那冲动，保证你从不靠近小学的大门或者别的可能会变成“房间”的地方。

另一个不那么戏剧性的情景：如果你到了这里，进入了“房间”，完全相信它，而它显示你根本没有最深层的愿望，你以为自己想要的东西其实并不是你的愿望，那会怎样？你离开“房间”，离开“区”，但与豪猪不同，什么都没发生。你对“区”仍然一窍不通。你会由此认为你得到了满足，就像一只猫或狗的食碗里总有新添的牛奶一样？不太可能。至少如果你得到满足——却没有意识到这一点——那你现在很可能被不满所占据。你会由此认为“房间”没有作用。你被耍了。潜行者没有经历这些变化，随着塔可夫斯基和斯特鲁加斯基重做、重写、重拍了这部电影，他经受了考验。你会给他打电话，要求赔偿，威胁要破坏他的名誉，去当局告他，或者至少，拒绝把他推荐给也想到被吹得神乎其神的“区”一游的朋友们。当然，潜行者没有遇到过以上任何一种情况。在这种不太可能发生的情况下，也许他会接你的电话，坚称“区”确实起了作用，相当有效。你只好窝着一肚子火，无法接受这就是你最深层的愿望，你最深层的本质。

他们都回到了那个教授还没拿出炸弹——他的不锈钢爆炸装置，三人也尚未扭打在一起的地方，就在“房间”的门口，向右能看到里面的光。潜行者跪在地上，全身瘫软。作家像一个刚破了悬案的侦探一样滔滔不绝，好像他察觉了其他粗心之人遗漏的蛛丝马迹。他还没说完。我们怎么知道这是真的？谁说的“区”会满足这些愿望？有人认为作家是在对潜行者说，但教授回答说，**他**说过，**他**指的是潜行者，好像“区”和“房间”的概念全都是潜行者创造的。*

---

* 有一个观点偶尔会得到塔可夫斯基的认可。比如在1981年的一次采访中，他说：“我完全同意是潜行者创造了‘区’的世界，目的是为了创造某种信仰，对那个

世界存在的信仰。”1986年，他又说过：“‘区’并不存在。是潜行者自己创造了属于他的‘区’。”

作家正在“房间”的边上，他折服于自己雄辩的技巧，跌跌撞撞向前，快要掉进“房间”，差一点摔一跤就让他内心最深层的愿望不小心实现了——比威尔伯·史密斯（Wilbur Smith）[①]的销量还好，比塞堡德[②]还尖锐，比布考斯基[③]还时髦——但潜行者把他拉了回来，两人一起倒在地上。电话又响了。作家用胳膊搂着潜行者的肩膀。教授站起来，开始拆他的热水瓶炸弹，扔到水里，他问了一个堵在每个人嘴边的问题——为什么要来这儿？

来这儿的目的就是有机会自己问这个问题，而不是假别人之口。写作时总会有一个揭开目的的时刻：当这种冲动——纳博科夫著名的“悸动”——引导一个人写作时，它就明白了。实际上有两个时刻，或者说可以这样理解，这个时刻有两个阶段。首先，当一个人意识到

---

① 探险小说作家。

② 德国作家。

③ 美国作家。

时，是的，有一本书——不管多模糊——不只是杂乱的笔记或不成形的想法。原则上，做到这一点应该很容易，如果发现要为此耗费这么多时间和精力，走这么多弯路，遇到这么多阻碍和考验（有个声音一直在轻声款款或大声疾呼："快停下！"）就会令人沮丧。但此时，当你意识到有一本书，即便它只是个完全没有希望得到评论界赏识或是市场大卖的小册子时，你也预见到所有那些弯路都不可避免，或者说，根本就不是弯路（整个旅程就是一条弯路）。从这一刻起——卡夫卡所说的肯定会来临的时刻，就没有回头路，尽管有挫折，却也渐行渐顺。那一个时刻来临时，并非这本书终结之日——那更应该被视作上一个阶段的终结——而是出版之后某个时刻。当你再看到它（很奇怪，书的清样往往保留了它梦想中的光华，而不是它实际的样子）时，那时你可以明明白白看到那些伟大的希望与期待，你最深层的愿望，变得一点都不隐蔽，甚至会想到生活以及根据单单一个梦就写一本书是多么荒谬，有无数的梦也有无数的书要写——或者按照前面提到的，有更多的延伸（更多的**房间**）要建构，更多的啤酒要喝，更多的炸弹要爆炸。你会想，还不如找一部别的电影来总结，比如《血染雪山堡》，或者写一本不同的书，也许是关于网球的。那里没有“房间”，或者至少这一个，这一个房间，不是吗？于是再次出发，试图寻找下一个目标。

既然我们已经走到这里，既然我们仍然在“房间”的入口，甚至能趁三个人喘息之时溜进去，也许我应该说出我最想要的——我最深层的愿望是——这本书。简单说就是：成功。成功的意思是，**巨大的**成功。如果它出版了，如果有人会出版为这样一部并不大众化的电影所写的总结，那这比约翰·格里森姆（John Grisham）[①]能想到的成功还要伟大。正如你所看到的，那个愿望被满足了。随着最初的愿望升级更新，我现在也在考虑，这个总结其实是总结的反义，它有一些商业上的吸引力——当然是以小众化的方式——应该会受到评论界的关注，说不定还能得个奖呢。

教授往水洼里扔了几块炸弹的碎片，再把另一些碎片扔到另一个水洼里。有很多碎片——这个炸弹比它一开始看起来的样子要复杂得多——但也有很多水。电话不再响了。又传来鸟鸣和水滴声。声音不清晰，好像那鸟是水陆两栖，有一部分仍然是鱼类，那声音像是来自

---

① 美国畅销小说作家。

史前生物，那时还没有人类，没有人听，上帝与进化之间没有区别，达尔文自己也许也只是条游泳的鱼，试着用翅膀呼吸或者用鳃飞翔。三个人坐在那里，摄影机拉回来，进入“区”，照着浸在水里的地面。（没有人类进入“房间”——只有摄影机在我们面前实现了他最深层的愿望。）他们已被旅途与扭打，被混合的失望与觉醒，被信念、希望与信任之间模糊的区分，被他们学到或没学到的那些东西的复杂的质朴，被不知道进化这一课是否已经结束搞得精疲力竭。曾经阴暗冰冷的光线慢慢变得温暖明亮，然后又慢慢褪色，再一次冰冷阴暗。潜行者说了他在一开始说的话：这里多么安静啊。你能感受到吗？它不是，我们才是。他奇怪为什么他不跟老婆孩子——猴子——一起住在这里，在这里没有别人，没有人能伤害他们。是因为他不想吗？也许“区”终究无法达到他的期望，也许就像菲茨杰拉德说盖茨比的那样，一个巨大的有生命力的幻象？一声闷雷，还有看不见的闪电。下雨了：内部的雨，雨知道如何在“房间”里表现。“房间”里的阵雨，一开始很小，落在我们与坐着的三人之间。接着越下越大，从阵雨变成了暴雨，在我们与他们之间漫延成洪水。尽管，雨只想成为它自己，但光与雨仍然夹杂在一起。任何此类的愿望在很久以前就蒸发掉了，但就像黑夜之后一定是白昼，它也终将会回来。雨下个不停，教授又从炸弹上拆出更多碎片——已经没有威胁了——扔到粼粼的水里。暴雨很快又变成阵雨——小雨，雨丝——停了，只有滴滴答答的声音，他们仍然坐在那里。教授把最后一块碎片扔到泛着涟漪的水面。滴答、滴答。我们能看到一部分炸弹，不再成为炸弹的炸弹，落在水底，还有先前看见过的枪和注射器。

“一切经历过时间都回归永恒。”乌纳穆诺写道，“生命的画面在我们面前像电影一样展开，而在时间的另一面，电影是不可分割的。”几条好奇的鱼游向拆散的炸弹，看看是不是食物。一卷黑色的胶片，像墨一样黑，带着几绺血痕——鱼的血？——在水面展开，火车疾驰的声音，混杂着拉威尔[①]的《波莱罗舞曲》（*Boléro*）——它在电影史上的地位与宝黛丽（Bo Derek）和达德利·摩尔（Dudley Moore）的《十全十美》（10）[②]密不可分。并不是说宝黛丽在某人的脑海里，当然也不在鱼的脑海里，火车的震动让水面波纹连连，裹挟着废

① 法国作曲家。

② 1979年美国喜剧电影。

弃的炸弹和好奇的鱼儿，黑色的胶片荡漾在水中，震颤着炸弹、鱼、水和屏幕。

影片似乎是到了尾声，但这并非结局。我们回到酒吧，在酒吧里，透过肮脏的门朝外看——不管这是过了多久，它还没被清洗过，他们不是在忙着想宝黛丽，而是在沉湎于生命中那些在“区”里度过的时光——尽管这不是他们想要的。酒吧的门开了。穿过那工业污染的河流，可以看到发电站，看起来灰蒙蒙一片，因为——是的，我们又回到了黑白的世界，不是在“区”的世界里。火车的噪声。门外是潜行者的妻子，裹在羊皮大衣里，还带着他们的女儿——猴子。妻子踏上台阶走进酒馆——他们在那里，那三个人。鲁格尔，那个寡言的酒保，也在那里，他是第一个看见她的。哎呀。他们回来了，尽管我们不知道他们是怎么回来的。潜行者一直对他们说，没有回来的路，但是，依照那些学到或没学到的经验，除了回来，无路可去。*

---

* 这可以看作是安德烈·萨金赛夫（Andrei Zvyagint-

sev）[1]的《回归》（*The Return*）和《放逐》（*The Banishment*）的教科书。《回归》（2003年）一开场就是惊人的一幕，几个男孩从高高的灯塔上跳进深水。伊万，一对兄弟里的弟弟，不敢跳下去，于是他的哥哥安德烈和其他人把他留在原地发抖、羞愧。第二天，母亲告诉他们，离家十二年的父亲回来了。扮演父亲的是康斯坦丁·拉朗尼柯（Konstanin Lavronenko）[他看起来像俄罗斯的乔治·克鲁尼和何塞·穆里尼奥（José Mourinho）的混合体]，他显然是混黑道的。三个人，父亲和两个儿子，开始了一场旅行，但更像是盗版的俄罗斯式爱丁堡公爵奖[2]，而并非单纯的度假。父亲是严厉的教官；他有着钢铁般的意志，学会了如何在俄罗斯监狱系统的残酷世界中生存。他欺凌恐吓两个儿子，一开始看起来就像是对他们硬汉气质的测试。父亲想要取回埋藏的赃物或是别的什么，经过无数次挫折考验，他们来到一个遥远的岛上——船的发动机坏了，父亲让男孩们划桨——那里被另一座老朽的灯塔所统治。伊万爬上塔，

① 俄罗斯新生代导演。

② 英国女王伊丽莎白二世的丈夫爱丁堡公爵于1956年创办的旨在培养青少年领袖才能的奖项计划。

凶狠的父亲跟在他后面，坠塔身亡。最后，凭着父亲在旅途中教给他们的技能，两个男孩回到家中，留下父亲的尸体与船一起沉没。

《回归》被称作对“区”——的延伸——的回归，对塔可夫斯基发掘的电影空间或电影视觉的回归。（就连一开场男孩们玩耍打闹的废弃建筑也像在“区”里；还有在岛上有一片青葱的草地，中间耸立着废弃的小屋。）塔可夫斯基赠予后代们一种对电影和空间视觉潜力的感觉。但他是个严厉的教官。如果你想追随他的榜样，你也必须要杀死他。一旦杀死了前人，你就能在新的未知电影天地里拥有自己的道路。我对这个解读道歉——一部分像哈罗德·布鲁姆（Harold Bloom）[①]，一部分像曲解的精神分析学——但是你明白我的意思。

问题是——在萨金赛夫的下一部电影里，明显可以看出——他并没有杀死父亲，没有放下前人的沉重包袱。或者，在《回归》里杀死了他，又用一部《放逐》（2007年）来赎罪。开始的几个镜头里，就有三个让人依次想起，《乡愁》（车驶过地平线，时隐时现）、《潜行

① 美国文学批评家。

者》（荒凉的工业区，货运火车）和《飞向太空》（车飞驰向城市的深渊）。接着就很难不看到塔可夫斯基的影子：孩子们翻着书，或是盯着橘色的火焰（在壁炉里）；巴赫；莱昂纳多［孩子们玩的《天使报喜》（*The Annunciation*）拼图］。还有明显来自塔可夫斯基遗产的是，当母亲和妻子——维拉，喝了一口酒，把杯子放到桌上时，我们开始期待她能用意念让杯子在桌上滑动。她怀孕了，但孩子不是她丈夫的（又是拉朗尼柯，从死亡中回魂，或者也可以看作，从《回归》中回归）；它——这部电影——是塔可夫斯基式的。发生这一切的房子坐落在美丽荒凉的风景中，比《镜子》中更丰饶，充满童年的记忆。“为什么没有小溪？”小男孩基尔问父亲拉朗尼柯。因为，我发现自己在轻声回应，安德鲁叔叔把它用完了。“你见过（比如，安德鲁叔叔的）小溪（的影像）吗？”基尔又问。“我什么都没看见。”拉朗尼柯说。这句话像是从我嘴里说出来的。最后，不用说也能想到，雨水汇聚成溪，成了像“区”里一样的水流。除了对塔可夫斯基的眷恋，《放逐》还有更多的内容。毫无疑问，我对自己指责萨金赛夫感到内疚：我对《潜行者》过于沉迷，以致眼中只有塔可夫斯基，我沉浸在他看世界的视角中，以致把这当作了世界。当然，就像他们所说的，塔可夫斯基并不是唯一一个作品被引用的导演，但他的影响力是统治级的，我想不到还有哪部电影如此——几乎自我牺牲地切合塔氏的主题——受到别的导演作品的统治。

《放逐》的结尾用一个镜头呼应了开头：一株杏仁树，一辆车飞驰而过。但与开头又有一些不同，镜头转向旁边的几个农妇——像是从布勒哲尔[①]的画里走出来（心照不宣的是她们也像从塔可夫斯基的电影里走出来，仅一步之遥）。突然，我们就进入了另一部电影。好像我们刚才看的那部影片是完全不同的。

这种令人迷惑地转移到另一部电影的巧妙手法，让我想起我知道但并未意识到的关于塔可夫斯基的事。像所有伟大的电影人一样，他令你深深地沉浸在他的世界中，那个从未在你身边存在的世界——除非是故意，就像戈达尔在《轻蔑》（*Le Mépris*）结尾处——那个银幕上的世界在银幕之外消失无踪。最好的导演们都颠倒了科利奥兰纳斯[②]的断言：世界在别处。不，在银幕之外的世界只是我们看到的世界的延续。不管在哪一面都是

---

① 16世纪佛兰德斯画家。

② 莎士比亚晚年创作的悲剧《科利奥兰纳斯》的主人公。

如出一辙。我们不是在电影里；我们在世界里。或者，没有别的只有电影；只有“区”。

难怪妻子会以为他们一直在这里，狂饮烂醉，或是嗑迷幻药，一塌糊涂对幸存者来说——没有肝肾衰竭、精神错乱——也是一种成功。他们看起来都一团糟：衣服皱皱巴巴，满身污渍，湿漉漉的，但并不是鲍里斯·米哈伊洛夫[1]式——不过是酒过三巡而已。如果她不了解她的丈夫……哦，不管是为了什么，他们这么做一点都不明智。或许他们是聪明死了，如果我们说得越聪明意味着越悲伤，而越悲伤意味着越潮湿。智慧很少在表面显露出来；它永远不知道自己呈现在人类的外表上是什么样子。

但是等等——有什么不一样。他们带了一只狗。在我们看来，这只狗是他们曾经到过所说的那个地方的唯一证据，是那个叫作“区”的地方存在的证据。就像柯勒律治笔下的玫瑰，你梦中在天堂出现的事物（我在别的毫无关联的背景下提过这句）醒来后发现就在床头。潜行者在喂狗。并不是什么都没变，但当你外出一圈回

① 乌克兰摄影师，他的作品展示了东欧社会的贫穷与混乱。

来时总是这样。即使你回来的这个地方已经认不出来，实际也没什么变化。孤独的汽笛声依然回响，没有变得更孤独。鲁格尔还在抽着烟，酒吧还是有点乱。闪烁的灯管，不用说，还在闪。妻子走进酒吧，既像一个面对三名歹徒的本地治安官，又像一个严厉的母亲，逮住青春期的儿子在跟伙伴喝酒。他们在喝酒，我们现在可以看到：他们每人一杯啤酒，谁能指责他们？没人能指责他们在经历这么多波折以后喝点啤酒——即使还不清楚他们到底经历了什么。她问关于狗的事，扑通一声坐到长凳上。你们俩谁想要狗吗？他们都不想。作家家里已经有五条狗——看起来挺多，不过也许他有个大房子，比我们想象的大得多。那么你喜欢狗喽，是不是，她说。好事（好像喜欢狗只是一件好事）。*

---

* 如果她问我，我会立刻说是的。我喜欢养狗。不过事实是，我和妻子没有养过狗，尽管我们想过要养一条，并为此琢磨了很久，有五年的时间几乎没讨论别的，最后决定也许我们不适合养狗。这条狗——比那些特种犬都更像是一条狗——让我想起我确实想养狗，浏览狗狗网站，甚至已经为我们的狗起好了名字：猴子，用潜行者女儿的名字来命名，尽管这对一条狗来说可能会带来

困扰，就像给它取名叫猫咪或者小鱼一样。但是——这也是为什么我们一直在反反复复——我们也知道为什么我们没养狗，因为我们唯一想要的狗是多蒂，我们朋友的杂种小猎狗。那也是我深层的愿望：我朋友突然说，“这么多年来，咱们关系这么好，我们决定把多蒂送给你，尽管猎狗需要宽敞的室外活动空间而你甚至连个花园都没有，它会想我们的，肯特郡却这么糟糕，它可能在这儿滴水不进活不过两周。”

于是，妻子说，我们走吗？

黑狗轻快地跑出酒吧，后面跟着潜行者和妻子。(是否有可能潜行者已经进过“房间”，而他最深层的愿望是有一只狗？）作家和教授——在社会主义社会，没法比他俩现在的样子看起来更脏——看着他们离开：潜行者、妻子、狗，还有猴子——他们的孩子。作家抽着烟，以一种文艺的方式透过烟雾斜觑着，好像明白了什么，一些他可能会写进书里的事：空荡荡的酒吧，也许根本没开门，有一张桌子……

从这里开始，我们进入了与电影中其他地方都不匹配的温情。我们能够相信对于“人类生来是为了创造艺术”理论的修订：电影被创造出来，所以塔可夫斯基能够创造《潜行者》，我们欠卢米埃尔兄弟一个大大的人情，因为他们让这部电影成为可能。

回到色彩的世界，镜头转向女儿猴子的侧面特写，裹着金色和棕色的头巾，闪过模糊的树的影子，还带着那条狗。所以，色彩不是“区”的专属。有什么像雪一样的东西——雨夹雪、冻雨——落下来。像开头他们进入“区”之前一样，鬼魅般的电子乐响起。我们还是只能看见她的头摇摆着，但视线没有跟得那么紧了，可以看到她穿过更多的景物，被雪或灰白色的灰烬覆盖着。湖或是河呈现出丑陋的灰色。镜头拉回来，我们看到猴子并不是在走路；她正在父亲肩头，而景色虽然荒凉，却也有一种荒凉之美。他们穿过荒野，潜行者、妻子和孩子，还有狗。在大江健三郎的故事里，“向导”（潜行者）、一位来用餐的客人、重人先生，评论“（这个）场景里狗的出色表现”。重人太太不同意：“狗表现好只是个巧合，除了像莱西[1]或者任丁丁[2]那样的超级明星

① 好莱坞电影《灵犬莱西》的主角。

② 20世纪20年代美国电影界的明星狗。

狗。即便是它们的表演，也不是靠真实的感觉，因为它们的角色都差不多。”她的话印证了贝拉·巴拉兹（Béla Balázs）[①]的观点，只有“植物和动物不听导演的指挥”。如果他们是对的，那跟塔可夫斯基对他的人类演员的要求也差不多。多纳塔斯·巴尼奥尼斯——《飞向太空》里的克里斯——对于导演缺乏对心理动机的兴趣感到很不舒服，他对演员们有确切的要求，比如走几步，或者保持几秒安静。对巴尼奥尼斯而言，这不是表演，只是“做动作”，或是“数一二三”。狗不会数数，但这也足够符合他的要求了，就像导演在鲁多[②]游戏棋盘上的棋子，尾巴摇摇晃晃，紧紧地跟在潜行者和妻儿的身后。* 有人猜测，如果这只狗曾经误入“房间”，那它应该想要继续它的生活，无忧无虑的狗狗生活。或者并非如此。也许它在“区”里很孤独，无意中进入“房间”，尽管它不知道那个房间是“房间”，而它最深层的愿望——被一个好人家或是好人收养，带回家——就实现了。（更离奇一点，猜想也许它最深层的愿望是当个明星狗？）

① 匈牙利诗人、剧作家。

② 一种简单的棋盘类游戏。

* 回顾潜行者躺在河里，狗走向他的那一段，摄影师肯亚金斯基深情地感叹那只“神奇的狗”，它只能听懂爱沙尼亚语的指令，“简直是个奇迹”：一只真正的“区”之犬！

《失乐园》（*Paradise Lost*）的结尾，亚当和夏娃“步履游移失神”地离开伊甸园。这个场景也有相似的感觉，尽管这是个小小的美好家庭（还有一只新来的狗），这不是流放，前方也不是未知的险途，而是回到家里熟悉的舒适与失意中。这个纯粹的冬日之景——被勃鲁盖尔①的回声又加深了印象——以其枯燥的、后工业化的形式，唤醒了关于《镜子》的记忆。背景中，湖或河的对岸是发电站，冒着烟或蒸汽。狗儿跑到前面，摇着尾巴，又绕回来围着其他人转圈。他们看起来像是地球上最后一个家庭，人们称之为“生活”的大灾难中的孤独的幸存者。

① 尼德兰伟大的风景画画家。

一只手倒着白色的牛奶，香甜的牛奶从一个三角形的硬纸盒（利乐包的前身）倒进木碗中，不小心溢出。当然，在《镜子》里也有类似的什么东西溢出来的片段。狗像只猫一样舔食着牛奶。这是电影史上最好的舔食镜头之一。在此之前，没有谁像这样舔食过牛奶——狗狗的另一个它自己没有意识到的绝佳表演，根据体验派表演法，已经达到了与角色共生的境界。潜行者躺在碗旁边，狗儿继续舔食着牛奶，贪婪得就像明天没得吃一样。潜行者又回家了，我们也回到了开始的地方。“你无法想象我有多疲倦。”潜行者对妻子说。他平躺在堆满书的房间里，舒展着四肢。他有比牛津教授还多的书。这是我们之前未曾料到的。潜行者不仅是“区”的原教旨主义者——他还是个伟大的阅读者。我打赌，这里面有《生命的悲剧意识》《心之道》《序曲》以及其他我在这个总结里提到过的书。谁知道呢，说不定他还有几本作家写的书。* 潜行者对于作家和教授缺乏信仰感到筋疲力尽的愤怒，不只是他们俩，人人都这样。他捶击着硬地板，现在温柔得多的妻子让他不要激动，快上床去睡觉。“地上太潮湿。”她说。真希望她知道，与之前他待过的地方相比，这里简直像烤面包片一样温暖！但是，是的，他肯定累极了。无论以什么标准来看，这都是漫长而潮湿的一天，或一生——究竟哪一个更长，更潮湿。布谷钟在报时——好像潜行者从以前“区”的旅行中带回来一个战利品；或者也许是哪位满意的客户送来的礼物。** 她扶他上床，脱下他的外裤和鞋子。像先前一样，他还穿着毛衣——他的毛衣已经很脏了，湿漉漉，看起来还臭烘烘的样子，很有希望在最新款的洗涤剂广告中获得一个角色。她裹起他，坐在床边，好像在照看一个病人，给他端药递水。空气中好像飘浮着花瓣或绒毛，与“区”里看到过的——就在大地泛起波纹之后——飘浮的花瓣或绒毛一样，于是家里也像弥漫着魔法。潜行者在“区”里时，像是吸血鬼的样子；现在，在床上，他就像太阳即将升起时的吸血鬼。他已经耗尽力气，甚至进入歇斯底里的状态，这让人对那些无能为力的事越来越激动。他们考虑的，他说，就是不要把自己贱卖了，怎么能让每一次呼吸都拿到报酬。没有人相信。不光是那两个人——他的意思是作家和教授——没有人。我带谁去那儿？他正濒临情绪与精神的彻底崩溃，被看起来与其说是别人缺乏，不如说是他自己过剩的信念所折磨。最糟的是，不仅是他们不相信“区”，而且甚至没有人需要它。一个毁灭的可能性：世界上最神奇的地方，最神奇的事，却没有人需要它。实际上，人们不需要他们最想要的东西，没有那些也一样生活。我们看到他的脸和她的手，抚摸着他，安慰着他，即便他已经伤心欲绝。

---

* 某种意义上，潜行者的书籍收藏反映了塔可夫斯基本人的藏书嗜好。“只有那些我想在自己家里拥有的东西，才有权在我的电影里进入镜头，”他在一段访谈中说，“如果我不喜欢那些东西，我是不会允许自己把它们留在我的电影里的。”（布列松则把重点放在这些东西本身上：“让那些东西看起来像是它们自己要在那儿的。”）

** 这也是进一步的证据。塔可夫斯基说过，他在电影里只用会出现在他自己房间里的东西：在《镜子》里，当孩子们跑出房子去看火时，有一个一模一样的布谷钟在响。

库切在阅读《卡拉马佐夫兄弟》时“无法抑制地哭泣”，他问自己，为什么他发现自己对这些书“越来越脆弱”。这与伦理或政治都无关，一切只因“痛苦的乡音，灵魂的痛苦无法忍受这个世界的恐怖”。

在“区”里，潜行者说他也许想和妻子女儿一起搬来这里；现在，他告诉妻子，他甚至不会再去那儿了。跟自己过不去。或者，也许这世界不可忍受的恐怖与先前的期待和“区”的庇护相比，也变得越来越容易忍受了。她说她愿意跟他去那里。* 毕竟，她提醒他，还有很多事可祈愿。比如呢？比如她的丈夫不是个潜行者。他不会对那可恶的“区”这么着迷，他不用再穿着肮脏的毛衣睡觉……还有一种可能，她已经意识到，比他一找到机会就溜去“区”相比，更糟的是他人在这儿，却事事妨碍，整日在屋里徘徊。但是不行，她不能去那儿。因为她是个女人？不是。因为如果她去了，最后却没有起效，那该怎么办？最后一根稻草，太糟糕了，连想都不用想。他倒头睡去。

---

* 一个慷慨的提议，让我想起我妈曾经代表我爸出的一个主意。六年级时，因为在学校里不太走运，我没有朋友跟我一起去酒吧玩。我妈说，我爸可以跟我一起出去喝一杯，我知道这主意对他没什么吸引力，因为出去意味着要花钱，他最恨这一点，而且他也一点都不喜欢去酒吧。

火车鸣笛。潜行者的妻子朝墙走去，她坐下来，转向镜头，从口袋里掏出一根烟。对我来说，这是一个令人恐惧的时刻。点着烟，她立刻陷入痛苦的回忆。现在我们知道了，那羊皮外套，还有她的头发，肯定浸满了烟味。不仅如此：我讨厌一切与找烟、点烟和吸烟有关的动作。

她的家庭反对她的婚姻，她说。每个邻居都嘲笑他。她点着烟，甩了甩火柴，灭了火。我讨厌那气味，熄灭的火柴的气味，就像我讨厌烟味一样，我也讨厌这场景——厨师的旁边没有点火装置——卷曲的黑乎乎的火柴。有门在吱吱嘎嘎，有水龙头在滴滴答答，或是什么在漏水，这些都透露出这是个家常的场景。他曾是个潜行者，一个永远的囚犯。她了解他这一点，也知道他有一个什么样的孩子。但是当他说“跟我走”时，她跟从了，像一个信徒。她从不后悔，即便有这些苦痛、屈辱和酸楚相随。

塔可夫斯基认为，妻子对爱与奉献的表达是“最后的奇迹”，是电影的中心，它的终极教训：“换句话说，人类之爱就是——奇迹般的——证据，反驳这世界没有希望的断论。这是我们共同的正面的财富。”正如菲利普·拉金（Philip Larkin）发现他“太自私，吝啬于爱，懒得去爱”时所说：“学习爱是有用的。”作为一个教训，它——就像在《雕刻时光》里——对银幕上发生的一切的复杂性评判失之公允，但倒是与奥尔加·苏霍娃（Olga Surkova）对塔可夫斯基的第二任妻子拉丽莎的评价相一致，“一位俄罗斯天使，守护被迫害的俄国艺术家”。* 拉丽莎相信，她是“他汲水的甘泉”。

---

* 塔可夫斯基曾经打算过将潜行者和他的妻子作为自己对被迫害的奉献的感觉的替身——这个想法似乎特别有可能，鉴于他想让拉丽莎演这个角色，但被雷贝格劝阻了。他成功地游说了爱丽莎·弗兰迪克。最初，她面对镜头的独白是打算安排在影片一开始；直到拍摄到第三版，塔可夫斯基才决定放到这里，作为尾声。

塔可夫斯基也许将自己视作潜行者——一个被迫害的殉道者，带我们来一场“区”之旅，在那里，一切真相最终都将被揭晓——他也明确了目的。在对患了绝症的美工设计师拉施特·萨夫林的一次访谈中，曾经有一段尖锐的对话，当被问及“区”，回忆他与塔可夫斯基共事、生活、谈话的时候，他说：“那是与你最深层的自我相处……在那里，你可以与深不可测的人和事对话。”采访者请他解释清楚。他是指……“是的，是与上帝对话。当安德烈不在了的时候，我也失去了能与之讨论最重要事情的人。那个‘房间’消失了。”“所以，他是你的‘房间’?”采访者问。“是的。”

当然，在电影里，妻子没有嫁给一位世界闻名的大导演，在喊过“开拍!”的人中最受尊敬的一位电影人，她嫁给了一个拿毛衣当睡衣的潜行者。

即便经历如此多的苦痛，她仍然无悔于自己的选择。实际上，没有这些痛苦也不会变得更好，因为也没有了任何欢乐。没有痛苦，就没有任何希望。嗯。除了欢乐战胜了希望，至少在很短的时期里。这不仅仅是因为如果你很快乐，你也就不需要希望。当你快乐时，希望，像其他一些重大的议题一样——正如索洛尼岑在《飞向太空》中的角色萨托瑞斯所说——变得没有意义。这是可能的，尤其是在加利福尼亚，生活可以没有希望却满溢快乐。在其他地方，希望坚持而耐久，乐于在一旁等待——等待事情再度变糟，等待快乐成为过去时。而对于“区”，潜行者也许对妻子说的没错；也许那里对她不会奏效。她依附于希望，依附于“区”，他猜测，让那些失去一切希望的人通过。生活是一坨狗屎。你需要忍耐它。你希望，即便你根本不相信希望。

经历过苦痛的人们说，他们从不放弃希望，从不停止希望。但是希望是折磨之源，同时也是灵感。佛陀不就劝诫勿持希望？希望不就是轮回的折磨之一，而我们应该从轮回中解脱自己？另外，“区”——至少是这次远行的证据——并不是希望之地，甚至于在那里，希望与世相隔。从这个意义上讲，她已经在那里，在“区”里了。

猴子——露出侧脸，彩色的——仍然戴着富有秋天气息的金褐色头巾，读着书。像人们曾经在书还没有多到成为负担和妨碍，还没有kindle阅读器的时候读书的样子。烟雾缭绕。很美的烟，熏香。飘浮的花瓣。热闹的鸟鸣啾啾：那是“区”的声音，“区”的花瓣。但是也有铁轨和码头的号角鸣咽——“区”里听不到这样的声音，那是世界上最安静的地方。我们正在这里，正在悬崖峭壁，任何艺术形式救赎的时刻。它无法与先前的情节割裂，它属于整部电影。但是说到“救赎”，我的意思并不仅仅指在**这部**电影的背景中。它救赎每一处无意义的淤血，每一场浪费的特效，所有以前和今后拍的电影里的愚蠢之处。好吧，你认为，一切都值得。就像我们已经在《潜行者》里见过数次，没有哪个符号与发生的事相关。镜头只是忠实反映发生了什么。它从桌面向下走，掠过一个杯子，里面盛着看起来像苏联可口可乐的东西。一对空的不透明的杯子。猴子放下书，好像在回忆她刚刚读过的内容——画外音让我们相信，那是一首费奥多尔·丘特切夫（Fyodor Tyutchev）[①]的情诗。*

---

*比约克把这段诗用在她的歌《阴暗的欲望之火》（*The Dull Flame of Desire*）——收录在专辑《伏特》（*Volta*）中——依据的是这首诗的英文译本，她承认《潜行者》是这个灵感的源头。

外面传来火车的声音。她低下头，看着杯子，里面的可乐纹丝不动。显然为了回应她的想法，杯子开始向桌下滑动。狗儿发出呜咽哀鸣，觉察到它正目睹有什么不正常的事发生，但是欣慰地想到狗儿跟她相处愉快，她和这只狗互相拥有对方的陪伴。* 她瞥了一眼狗，态度并不友好，狗安静下来。也可能是她用意念控制了它或者让它闭嘴，更有可能是它确信这里没有什么不好的事情发生，可以继续小睡，享受躺在新家的地板上。她

① 19世纪俄罗斯诗人。

再次集中精力盯着杯子。这是怎么做到的？我想知道这个奇迹是怎么完成的。可乐里藏着磁铁，有人在桌下牵引？** 接着她又移动了一个装着东西的果酱罐，大概几英寸。然后是一个空的大杯子。***

---

* 特别的是，这部电影是以一种最出乎意料的方式纠缠进我的生活。在最近几年，我开始听一些轻音乐——威廉·巴辛斯基（William Basinski）[①]、盖子的星星[②]，诸如此类——尤其当工作时（嗡鸣声，缺乏节奏感，都有助于集中精力）。“盖子”的专辑《疲倦之声》（*The Tired Sounds*）我听过几十遍，一直喜欢那个有趣的时刻，“垂死母亲安魂曲，第二部分”，一只狗开始哀鸣[就像我喜欢迪伦的《每一粒微砂》（*Every Grain of Sand*）某个版本中有一只狗在吠叫]。我猜是有一只狗溜进了工作室，而“盖子”决定保留这意外闯入者作为随意的声音伴奏。当我一边写着这个场景，一边听着这段音乐时，我意识到在这只狗的叫声之前，有一段轻微的刮擦声。我又听了一遍。又一遍。毫无疑问，这不是

① 前卫作曲家。
② 乐队名。

偶然："盖子"录下了一只狗在看到杯子滑过桌面后的呜咽声！

** 据说是塔可夫斯基亲自用一根伪装过的线拉着它。

*** 录音师弗拉基米尔·沙伦详细记述了这部电影如何这样收尾，"由于塔可夫斯基醉心于任何超越现实的东西，一个叫爱德华·纳莫夫（Eduard Naumov）的人不知怎么进了我们的圈子……有一次，纳莫夫给我们看了他拍的一部纪录电影。影片表现的是尼内尔·谢尔盖耶芙娜·库拉吉娜（Ninel Sergeyevna Kulagina）发现她有心灵遥感的能力——她能用意念移动物体。在影片里，库拉吉娜被一群看似科学家的人包围着，坐在一张桌子后面，桌面是透明的——避免任何有关伪造的指责。桌子上有一盏灯，一个调羹，还有些别的东西。库拉吉娜的脸因为用力而阴沉沉的，她眼睛一眨不眨地盯着台灯，而台灯随着她的目光移动。塔可夫斯基认真看完了纳莫夫的电影，还没等结束，他就叫起来："你看到了吧，这就是《潜行者》的结局！"

她把头靠在桌上，把杯子移动到桌边，一直到还差

一厘米就能感受重力坠落的地方。它掉下来。在之前引用的故事里，大江健三郎写道：“其中一只玻璃杯挪到桌边，掉到地板上，碎了。这时你看到杯子后面孩子的脸，现在你可以看得很清楚，她的表情显示正在品味那破坏毁灭的声音。”

只是这只杯子并没有碎。我们没看到它碎，也没听到它碎。实际上，我们听到的是这只杯子**没有**碎。它落到地上，没有打碎的声音，而是一种坚实的甚至是坚不可摧的碰撞声。关于孩子正在“品味”这破坏的说法——从她的眼神看来，她是在“隐匿某种灾难性的力量”，她甚至可能会成为“反基督者”，“毁灭一切”——只是为一开始的误读或误听做出的进一步的预测。大江健三郎对这个场景的解读与整个电影的架构是完全脱离的。他是否真的让我们相信，潜行者因为他的信仰而受到的奖赏就是女儿不仅仅身有残疾无法行走，还是个恶毒的、摔碎杯子的反基督者。她的心灵遥感能力是一种无法衡量的补偿或安慰。

现在我们可以看到，果酱罐里装的是蛋壳或是残破的蛋，不过到了这最后阶段，我们已经不会为符号或象征意义之类的事所烦扰了。这是一个罐子，里面有个蛋壳，猴子头戴富有秋天气息的金褐色头巾，像靠着枕头一样靠在桌上。不可能准确说清她的眼神、她的表情都代表了什么。她看起来很满足，在知道了自己无害的能力之后甚至有点疲倦。

有火车驶来，窗户嘎嘎作响，罐子和桌子也摇晃着，就像影片开始时，当她和父亲母亲在床上睡觉时，在他去“区”给她带回来一只可爱的小狗之前。火车的震动如此强大，她的头也随着摇来摆去，高声放着贝多芬的《欢乐颂》。噪声逐渐消失，火车离开，只余火车的震动和她的眼睛，她凝视的眼睛，她的脸，她的头，靠在桌上，看着我们在看着她，渐入黑暗。